聖賢之道

湯一介

戊子年夏

國學基本教材

汉魏六朝文选

邱玉婷　郭晓康　倪淑慧◎编注

浙江古籍出版社

“国学基本教材”编辑委员会

统　　筹：

孙劲松　向　珂　蒋蔚芳　周金芝

主　　编：李耐儒

编　　委：

李南晖　陆有富　刘乃溪　徐　骆　须　强

可延涛　李　凯　刘　舫　毛文琦　房春草

李宏哲　张　华　黄晓芳　赵立学　介江岭

张志强　姜李勤　白　坤　晏子然　施仲贞

张　琰　汪佳敏　姚之均　余雅汝　干璐娜

本册编注：邱玉婷　郭晓康　倪淑慧

总 序

秋霞圃书院创办有年，在民间推动国学普及工作，志在以独立之精神、自由之思想为宗旨，促进古今中外文化思想与学术的交流，为中华民族文化的复兴而尽心尽力。其志可嘉，其行可感!

近年，秋霞圃书院耐儒兄主持编撰“国学基本教材”。本套国学教材集复旦大学、武汉大学、南开大学、中山大学、华东师范大学、上海师范大学等名牌院校的二十多名青年学人，采各种版本的国学读本之长，广泛吸取中小学一线语文教师的教学经验，精心编撰，是中小学生比较理想的国学读本，也是便于教师们使用的、较为系统的国学教材。

读本的篇目有:《弟子规》、《三字经》、《千字文》、《千家诗选读》、《幼学琼林》、《诗词格律》、《唐诗选读》、《宋词选读》、《论语》(上、下)、《史记选读》(上、下)、《大学　中庸》、《诗经选读》、《孟子》(上、下)、《左传选读》、《颜氏家训》、《诸子文选》(上、下)、《汉魏六朝文选》、《唐宋文选》、《礼记选读》、《楚辞选读》。每册有指导性概述，有经典原文，有对原文的注释与新译（赏析)，并配上文史链接（延伸阅读)、思考讨论等，图文并茂，准确生动，具有可读性与系统性。

梁启超先生说过，《论语》、《孟子》等经典“是两千年国人思想的总源泉，支配着中国人的内外生活，其中有益身心的圣哲格言，一部分久已在我们全社会形成共同意识，我们既做这社会的一分子，总要彻底了解它，才不致和共同意识生隔阂”。这就是说，“四

书”等经典表达了以“仁爱”为中心的“仁义礼智信”等中华民族的核心价值观念，这是中国古代老百姓的日用常行之道，人们就是按此信念而生活的。

中国文化的大传统与小传统是打通了的。国学具有平民化与草根性的特点。中国民间流传着的谚语是：“勿以善小而不为，勿以恶小而为之”；“老吾老以及人之老，幼吾幼以及人之幼”；“积善之家必有余庆，积不善之家必有余殃”。这些来自中国经典的精神，透过《弟子规》、《三字经》、《百家姓》、《千字文》、《千家诗》等蒙学读物及家训、族规、乡约、谱牒、善书，通过大众口耳相传的韵语故事、俚曲戏文、常言俗话，成为“百姓日用而不知”的言行规范。

南宋以后在我国与东亚的民间社会流传甚广、深入人心的朱熹《家训》说:“事师长贵乎礼也，交朋友贵乎信也。见老者，敬之；见幼者，爱之。有德者，年虽下于我，我必尊之；不肖者，年虽高于我，我必远之。”“人有小过，含容而忍之；人有大过，以理而谕之。勿以善小而不为，勿以恶小而为之。”又说，“勿损人而利己，勿妒贤而嫉能。勿称忿而报横逆，勿非礼而害物命。见不义之财勿取，遇合理之事则从……子孙不可不教，童仆不可不恤。斯文不可不敬，患难不可不扶。”朱子说此乃日用常行之道，人不可一日无也。应当说，这些内容来源于诗书礼乐之教、孔孟之道，又十分贴近大众。它内蕴着个人与社会的道德，长期以来成为老百姓的生活哲学。

王应麟的《三字经》开宗明义：“人之初，性本善。性相近，习相远。苟不教，性乃迁。教之道，贵以专。”这就把孔子、孟子、荀子关于人性的看法以简化的方式表达了出来。儒家强调性善，又强调人性的养育与训练。

清代李毓秀《弟子规》的总序说:“弟子规，圣人训。首孝弟，次谨信。泛爱众，而亲仁，有余力，则学文。”以下分成“入则孝”、“出则悌”、“谨而信”、“泛爱众而亲仁”等几部分。这些纲目都来自《论语》。《弟子规》中对孩童举止方面的一些要求，如站立时昂首挺胸、双腿站直，见到长辈主动行礼问好，开门关门轻手轻脚，不用力甩门等，这些规范都是文明人起码应有的，是尊重他人而又自尊的体现。又如:“晨必盥，兼漱口，便溺回，辄净手。冠必正，纽必结，袜与履，俱紧切。”“斗闹场，绝勿近，邪僻事，绝勿问。将入门，问孰存，将上堂，声必扬。”“用人物，须明求，倘不问，即为偷。借人物，及时还，后有急，借不难。”这都是有助于文明社会的建构的，是文明人的生活习惯，也是今天社会公德的基础。

朱柏庐在《朱子治家格言》起首的一段说:“黎明即起，洒扫庭除，要内外整洁;既昏便息，关锁门户，必亲自检点。一粥一饭，当思来处不易;半丝半缕，恒念物力维艰。”这些都是平实不过的道理，体现到一个人身上就是他的家教。旧时骂人，说某某没有家教，那是很重的话，让其全家蒙羞。我们不是要让青少年一定要做多少家务，而是要他们从小学就动手打理好自己与家庭的事情，不要过分依赖父母，依赖他人，能够自己挺立起来，培养责任意识。同时，知道一粥一饭、半丝半缕都是辛劳所得，我们能够懂得去尊重家长与别人的劳动。如果我们真的有敬畏之心，就知道珍惜，不应该浪费。

南开中学的前身天津私立中学堂成立于1904年10月，老校长严范孙亲笔写下“容止格言”:“面必净，发必理，衣必整，纽必结。头容正，肩容平，胸容宽，背容直。气象:勿傲，勿暴，勿怠。颜色:宜和，宜静，宜庄。”这四十字箴言来自蒙学，又是该校对学生容貌、行止的基本要求。校内设整容镜，师生进校时都要照镜正容色。

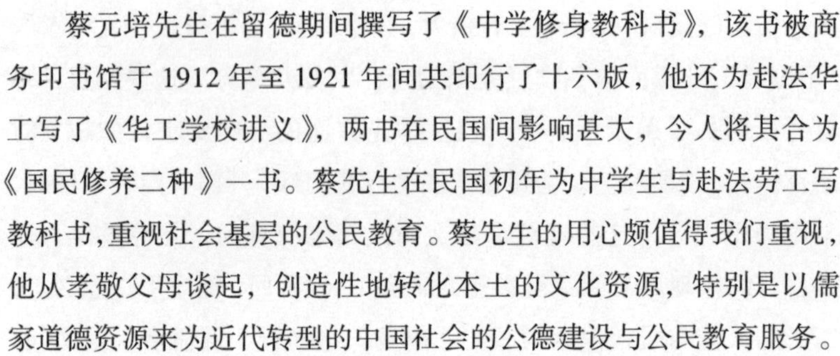

后来张伯苓先生治校，坚持了这些做法。

蔡元培先生在留德期间撰写了《中学修身教科书》，该书被商务印书馆于1912年至1921年间共印行了十六版，他还为赴法华工写了《华工学校讲义》，两书在民国间影响甚大，今人将其合为《国民修养二种》一书。蔡先生在民国初年为中学生与赴法劳工写教科书，重视社会基层的公民教育。蔡先生的用心颇值得我们重视，他从孝敬父母谈起，创造性地转化本土的文化资源，特别是以儒家道德资源来为近代转型的中国社会的公德建设与公民教育服务。

现今南京夫子庙小学的校训是“亲仁、尚礼、志学、善艺”。我认为这是非常好的。对孩童、少年的教育，首先是培养健康的心性才情，从日常生活习惯，从待人接物开始，学会自重与尊重别人。

我们今天强调成人教育，因为仅有成才教育是不够的，成才教育忽略了我们作为完整的人、健康的人所必需的一些素养，它在人格养成方面几乎是空白。这不是大学教育才有的问题，而是幼儿园、中小学教育就该关注的。养育青少年的性情，需要家庭、学校、社会的配合。

国学当中有很多修身成德、培养君子人格的内容。中国古典的教育，其实就是博雅教育。传统的教育并不是道德说教，也不是填鸭式满堂灌的教育，而是春风化雨似的，让学生在点滴中有所收获并自己体验，如诗教、礼教、乐教等。

我觉得应该让孩子们处在良好的文化氛围中。家长、老师们要以身作则、言传身教，这对孩子们影响很大。家长、老师有义务端正自己的言行，尤其在孩子们面前。要培养孩子分辨是非的能力，多在性情教育上下工夫，关注孩子的心理健康，多与孩子交流，洞察他们的情感，并做正确的引导。现在一些家长做不到以身作则，他们撒谎骗人，打骂斗狠，不尊重老人，这些都会给孩子的成长烙下负面的印记。

我们也希望同学们能趁着年轻记性好，多读些经典，最好能背诵一些，其中的意思以后可以慢慢领悟。南宋思想家陈亮说过：“童子以记诵为能，少壮以学识为本，老成以德业为重……故君子之道不以其所已能者为足，而尝以其未能者为歉，一日课一日之功，月异而岁不同，孜孜矻矻，死而后已。”

本丛书所收经典与蒙学读物中有很多圣哲格言，都足以让我们受用终身。我们一直希望能有多一些的国学经典进入中小学课堂，至少让“四书”进入教材。我们希望能多一些国文课，让中小学生能接受到系统的传统语言与文化教育。中华民族有很多优根性，更需大大弘扬。

是为序。

郭齐勇

癸巳春于珞珈山

目　录

概 述

作为历史时期的“汉魏六朝”指的是从公元前206年汉高祖刘邦建立西汉政权，到公元589年隋文帝杨坚完成南北统一，历时约八百年，经历两汉、三国、两晋、南（宋、齐、梁、陈）北朝时期。其中“六朝”先后定都于建康（吴称建业，今江苏南京），惯称三国吴、东晋、宋、齐、梁、陈六个朝代。

汉的建立结束了此前长期的混乱局面（秦的统一只做了汉的短暂的前奏），直到东汉末年政权才渐至崩塌，历史复归于军阀割据、势力纷争的乱局；三国之后的西晋虽然短时统一，又迅即分裂，继起的东晋虽然承续政统，但国家是半壁江山，与北方中国的少数民族政权分天下而治；后来的南朝宋、齐、梁、陈也仅仅维持着南方一隅的统治，时刻承受着来自北方的政治压力，而且南朝内部政权轮换频仍，斗争杀伐激烈，国势政局衰弱，终被北方所败，并入隋唐再度统一的时代。这八百年间，人们无论是匍匐在统一专制的权力威压之下，还是辗转于颠沛流离的战争暴乱之中，至或呻吟在穷凶极恶的政治斗争之间，始终都是压抑和惨痛，哪怕偶有平静，也衬着不安的底色。

在思想文化方面，简而言之，这八百年的心灵也敏锐地契合着时世的变迁演进：因为由合到分、由治到乱而大致由严整趋向松散、由均齐趋向殊异。代秦即起的汉王朝是历史上最早的大一统的中央集权的封建专制帝国，尤其是汉武帝（前140—前87在位）

时期，罢黜百家，独尊儒术，用经过改造特别适合维护封建秩序和封建等级制度的儒学来统一全国的思想，儒学遂成为得到确实保证的官方意识形态而深入人心，并在社会生活中产生巨大的实际作用，这种从制度到思想两方面的严格管制的局面基本贯穿整个两汉的统治。东汉中、后期起，以豪强为主的地方势力日益抬头，最终形成群雄割据的混乱局面，在这个过程中，儒学的势力也逐渐减弱，终于衰微，而汉王朝的政权也宣告灭亡。

魏晋南北朝的分裂混乱，一方面使得如秦汉时代那种中央具有绝对权威的专制统治一去不返，另一方面也使思想文化获得较为宽松的环境，个性与情感在这个乱世反倒获得较为自由的展现。儒学独尊的局面随着汉末一统政权的崩溃而难以维持，魏晋之际玄学盛行，人们醉心于“玄理”和“清谈”；东晋、南北朝佛教兴盛，深入人心。这些都使得人们心灵层面伦理政治、道德教化的东西在减少，过去没有的例如对纯粹审美的表现、对思辨与玄想的探求、对个性的肯定与标榜，都把人们的心灵引向活泼自由、激越新异的别致境界。思想和心灵在丢开桎梏，渐趋觉醒和解放。

文学是心灵层面最敏感多情的部分，思想文化的这种大致脉络体现在文学的发展历程上，也烙印着明晰的痕迹。

两汉的文学处在儒学思想的强烈干预下，文学的抒情功能受到削弱，而政治、道德功能得到强调。文学要与时政、教化、讽谏和歌颂联系起来，而讽谏却要“哀而不伤”、“怨而不怒”（《毛诗序》）。两汉文学得到前所未有的拓展，以赋和五言诗最为夺目。

“汉赋”历来被当作汉代“一代之文学”。在两汉文学中，汉赋是最有代表性的文学样式，也正是从汉赋起，我国文学开始了对于美的有意识的追求。汉赋主要分为抒情小赋和体物大赋两类。抒情小赋，也称“骚体赋”，多继承屈原、宋玉之处，形式上也带有楚辞的句法特点，出现了一些表达自身遭际、人生感慨和政治见解的赋作，如贾谊的《吊屈原赋》。到了西汉中期，汉赋由抒情言志的骚体赋发展为体物大赋。体物大赋是汉代文学的新创造，到武帝时期盛极一时，成为当时文坛的主要文学样式。它主要描写京都、宫室、苑囿、田猎等事物，显著特点是铺张夸饰、词采富丽、讲究排偶、气势磅礴，形成鸿篇巨制，最著名的便是司马相如的《子虚赋》和《上林赋》,是汉大赋的顶峰作品。扬雄的《甘泉赋》、《羽猎赋》，班固的《两都赋》等，都是优秀的代表。其后张衡继之而作《二京赋》，已然没有了班固赋的气势，汉代大赋也由此走向衰微，逐渐为抨击时弊、发泄苦闷的抒情小赋所取代。代表作有张衡的《归田赋》、祢衡的《鹦鹉赋》等。

五言诗的兴起是中国诗史的大事。汉武帝时设立了一个专门的音乐机关，叫“乐府”，收集各地民歌，用于演唱、娱乐。这些被乐府机构掌管的歌辞称为“乐府诗”，汉代的叙事诗最早便出现于这些乐府诗里。这些采集的乐府诗“皆感于哀乐，缘事而发”，贴近现实生活，语言质朴，流传下来许多优秀的作品，如《陌上桑》、《东门行》等，其中《孔雀东南飞》是最著名的长篇叙事诗。随着叙事诗的出现，五言诗也逐步在汉代孕育形成，改变了《诗经》以四言为主的传统，大大地提高了诗歌的表现能力。《古诗十九首》是五言诗成熟的标志。这组作品以悲伤的基调，展示了闺怨、友情、相思、怀乡、游宦、行役等多方面的生活内容，融叙事、写景、抒情为一体，咏唱对于生命短促、人生无常的感伤，语言质朴而极富艺术感染力。到了魏晋南北朝，五言诗就成为文人诗歌创作的主要形式了。

汉代的散文也是中国文学史上的丰硕收获。汉代前期的散文，总体带有鲜明的政治色彩和实用性质，内容或是总结秦王朝覆灭

的教训，或是为新王朝提供统治的良策。例如贾谊的《过秦论》、晁错的《论贵粟疏》，继续保持了战国纵横家雄恣辩丽的风格。不过这些都不是文学性的散文，文学散文是从东方朔的《答客难》开始的，之后有司马迁的《报任安书》、李陵的《答苏武书》等，是我国抒情散文的良好的开端。然而，汉代散文成就最辉煌的要数叙事散文，最突出的便是司马迁的《史记》。它以记人为经，叙事为纬，开了纪传体史书体例的先河，规模宏大，结构严谨，完整地记述了汉武帝以前的中国历史，语言既精练丰富，又准确传神，是“史家之绝唱，无韵之《离骚》”。叙事散文中，东汉班固的《汉书》也有相当高的成就。这些叙事文学的典范之作也对后世虚构的叙事文学和古典小说产生了巨大的影响。

魏晋南北朝时期，是我国历史上分裂时间最长的时代，政权更迭频繁。社会思想呈现出自由活跃、各种学说同时兴起的特点，出现了重视个体价值的社会思潮，文学越来越多地被用来表现作家个人的思想感情和美的追求。魏晋南北朝文学的新成绩表现在：一是社会上层包括许多帝王如曹操父子在内，普遍热心文学创作，从而影响了整个社会，文学作品日益增多，开始与其他学术相区别而独立为一科。二是文学集团活跃，如建安时代的曹氏父子文学集团，魏末以阮籍、嵇康为首的“竹林七贤”，西晋时有围绕权臣贾谧的包括陆机、左思等在内的“二十四友”，南朝宋临川王刘义庆门下招纳了鲍照等众多文士，齐竟陵王萧子良周围有著名的“竟陵八友”等等。同一文学集团中，比较容易形成相同或相近的文学思想，进而使这种文学思想趋于明确、完整。三是文学不再被看作是施政的工具，追求美的创造成为文学创作的首要任务。如陶渊明创立了“田园诗”，谢灵运、谢朓完成了从“玄言诗”到“山水诗”的转变，梁代以萧纲的文学集团为中心，开始出现了“宫体诗”。四是文学与哲理相结合，使文学摆脱了简单地、就事论事地反映现实生活和社会现象的传统，表现了作者更为深邃的心理活动，把读者引入更高层次的思考。五是更重要的一点，文学形式的演进渐趋成熟，无论是文学手段的提高和丰富，还是文学语言的凸显和成熟，以及文学门类的分化和拓展，都达到极高的成就，为中国文学诗、文的登峰造极做好了坚实的准备。由此形成了中国文学史上的一个重要的转折，带来了文学的繁荣。

具体到各类的文学领域，晋宋之际，虽然诗代替赋成了文学的宠儿，但是魏晋南北朝的赋作在体物大赋趋向衰落之后，抒情小赋不断有佳作出现，例如王粲的《登楼赋》、鲍照的《芜城赋》、江淹的《别赋》、庾信的《小园赋》等，在抒写个人痛苦和对他者悲惨遭遇的感应上，都不断趋向多样和深切。

诗歌领域是魏晋南北朝文学取得的最大的实绩。最有文学史意义的是特殊的诗歌语言的探索成功，从魏晋开始，出现了一种意象密集、结构跳跃、文句浓缩、语词凝练为特征的诗歌语言，散文中常见的连系词被逐渐取消，语序也呈现不同习常的面貌，形象性、直观性更为鲜明，也连带改变了传统的感情表达程式。这类语言的锻造，在王粲、曹植、陆机、陶渊明、谢灵运、谢朓、庾信的作品中逐渐定型，而诗与散文在语言形式方面的界限也得到明确。诗歌语言的成熟还表现在骈偶、声律的讲究，比兴、对仗、用典等修辞手段的完善，不同诗歌体式的分化等方面，总之，这个时期的诗歌是我国古典诗歌辉煌的必要前导和重要铺垫。

在诗、赋以外的广义的文的领域，传统的文学性散文有王羲之《兰亭集序》、陶渊明《桃花源记》、吴均《与朱元思书》等精妙之作，此外魏晋南北朝还出现了骈文和小说。骈文是东汉以来，文章中的骈俪成分日益成为作者对于纯粹的美的追求而有意营造

的手段，而形成的美文。这种文字讲求声律、对仗和藻饰，完全以唯美为目的。中国的小说滥觞于魏晋，以干宝《搜神记》为代表的“志怪小说”和刘义庆《世说新语》为代表的“志人小说”是中国小说的开端，直接开启唐宋传奇和元明清的戏剧、小说，成为魏晋南北朝时期文学庭苑的又一奇葩。

学界把魏晋南北朝时期的文学称作中国文学自觉的觉醒时期。无论是文学观念的开启、文学经典的创造，还是文学技巧的总结、文学本位的确立，都在此期间有着深远的成就。单凭文学批评领域的成就也可以侧面看出上述的结论，曹丕的《典论·论文》、陆机《文赋》、刘勰的《文心雕龙》等著作的出现就是最好的说明。

整个汉魏六朝文学是我国文学由自发向自觉过渡时期，是由附庸式的文学向纯粹的文学演进的时期，是中国的文学不断摸索实验、完善定型的时期。名家辈出，经典纷呈。无论是两汉的雄浑壮大，还是魏晋的沉郁遒劲、南朝的婉转清丽，都是上承先秦、下开唐宋的中国绚丽文学的重要环节。

《汉魏六朝文选》是基于对这段文学历程的认识而编撰的。我们希望通过作品的选摘描摹出这段文学历程的独特面貌和成就，给读者以深刻的印象和感受。本书结合汉魏六朝的文学特性，及现今通用的选文方法，将文本内容分为辞赋、诗歌、散文、小说四章，每章以各时期主要作者和重要文学作品选集为小节，各小节选取主要代表作品，分原文、注释、译文、文史链接（赏析）、思考讨论等内容依次进行编排，所选文学作品尽量不与现行教材选文重叠，力求简明扼要、通俗易懂，同时拓展视野，激发学生的思考和研究兴趣，增强其学习钻研的能力。不过由于篇幅所限和我们对于阅读对象的考虑，有些文学史上的常见篇章并没有被选入此书，而代之以更加适合学生阅读并且也能够反映出汉魏六朝文学特质的其他篇什。

本书的编注主要以朱东润先生的《中国历代文学作品选》为依据，并参考了曹道衡先生的《汉魏六朝辞赋》、余冠英先生的《汉魏六朝诗选》、叶嘉莹先生《叶嘉莹说汉魏六朝诗》、章培恒先生《中国文学史》、骆玉明先生的《世说新语精读》等书籍。囿于编者水平，其中有不尽如人意的地方，敬请指正。

第一章　辞　赋

吊屈原赋

（西汉）贾谊[1]

谊为长沙王太傅[2]，既以谪去[3]，意不自得[4]。及渡湘水[5]，为赋以吊屈原[6]。屈原，楚贤臣也。被谗放逐，作《离骚》赋[7]。其终篇曰："已矣哉！国无人兮，莫我知也。"遂自投汨罗而死。谊追伤之[8]，因自喻[9]。其辞曰：

注释

[1]贾谊（前200—前168）：西汉初期著名的辞赋家、政论家。少有才名，二十几岁就被汉文帝召为博士，不久升任太中大夫。由于力主改革政制，触犯了权贵利益，被贬为长沙王太傅。四年后，又被召为梁怀王太傅。怀王坠马而死，贾谊自惭失职，郁郁而死。其政论文对时弊有深刻见解，被鲁迅誉为“西汉鸿文”；辞赋以《鹏鸟赋》、《吊屈原赋》最有名。 [2]长沙王：指西汉长沙王吴芮的玄孙吴差。太傅：官名，对诸侯王行监护之责。 [3]谪（zhé）：贬官。 [4]意：内心。自得：自己感到得意或舒适。 [5]及：等到。湘水：长江支流，在今湖南境内，注入洞庭湖。贾谊由京都长安赴长沙必渡湘水。 [6]吊：祭奠死者。屈原：战国时楚国贵族，中国古代伟大的浪漫主义诗人。他忠诚侍君却屡遭排挤，怀王死后又因顷襄王听信谗言而被流放，最终自沉于汨（mì）罗江而死。 [7]《离骚》赋：汉代时，楚辞既称辞也称赋。 [8]追伤：追念伤悼。 [9]自喻：自譬，自比。

译文

贾谊（曾）担任长沙王的太傅，已经因被贬谪而离开京城，自己感到很不得志。到渡过湘水的时候，就写了一篇赋来凭吊屈原。屈原是楚国的贤臣。他遭受谗害而被流放，写了《离骚》。《离骚》的结尾说：“算了罢！国家没有一个正直贤能的人，没有一个人了解我啊。”于是就跳到汨罗江自杀了。贾谊追念感伤屈原的不幸遭遇，便自比屈原，他的吊辞（这样）说：

恭承嘉惠兮[1]，俟罪长沙[2]。侧闻屈原兮[3]，自沉汨罗。造托湘流兮[4]，敬吊先生[5]。遭世罔极兮[6]，乃殒厥身[7]。

注释

[1]恭承:敬辞,敬受之意。嘉惠:美好的恩惠,指文帝的任命。[2]俟（sì）罪:待罪。此为谦词，汉代人往往把居官任职称为“待罪”,意思是自己力不胜任,随时有犯罪受罚的可能。 [3]侧闻:从旁听说，是一种尊敬的说法。 [4]造：到。托：寄托，指把吊文寄托给湘水（湘水和汨罗江都注入洞庭湖，古人以为汨罗流入湘水，所以贾谊说托湘水而吊）。 [5]先生：指屈原，古人单称先生而不称名，表示尊敬。 [6]遭：逢，遇到。世：时代。罔极：混乱无常。 [7]殒（yǔn）：死亡。厥：其，指屈原。

译文

（我）恭敬地蒙受圣上的恩惠啊，在长沙任职。听说屈原啊，自投汨罗江而死。到湘江边托付流水啊，恭敬地凭吊先生。（您）遭逢没有正直可言的浊世啊，终于导致身亡。

呜呼哀哉！逢时不祥[1]。鸾凤伏窜兮[2]，鸱枭翱翔[3]。阘茸尊显兮[4]，谗谀得志。贤圣逆曳兮[5]，方正倒植[6]。世谓随、夷为溷兮[7]，谓跖、跻为廉[8]；莫邪为钝兮[9]，铅刀为铦[10]。吁嗟默默[11]，生之无故兮[12]。斡弃周鼎[13]，宝康瓠兮[14]。腾驾罢牛[15]，

骖蹇驴兮[16]。骥垂两耳[17]，服盐车兮[18]。章甫荐履[19]，渐不可久兮[20]。嗟苦先生，独离此咎兮[21]。

注释

[1]不祥：不善。祥，善、好。　[2]伏窜：潜伏，躲藏。　[3]鸱(chī):俗名猫头鹰。枭(xiāo):外形跟鸱相似。古人用“鸱枭”此喻小人。翱翔：比喻得志升迁。　[4]阘茸（tà róng）：代指庸碌、低劣的人。阘，小门。茸，小草。　[5]逆曳：被倒着拉，即不得顺正道而行。　[6]方正：指品行方正的人。倒植：指本末倒置。　[7]随：卞随，商代的贤士，据说汤要把天下让给他，他认为可耻，于是投水而死。夷：伯夷。二者都是古贤人的代表。溷（hùn）：混浊。　[8]跖（zhí）：春秋时鲁国人，传说他是大盗。蹻（jué）：庄蹻，战国时楚国人。　[9]莫邪（yé）：古代宝剑名。　[10]铅刀：铅制的刀。铅质软，作刀不锐，比喻无用的人或物。铦（xiān）：锋利，快。　[11]吁嗟（xū jiē）：感叹词。默默：不得志的样子。　[12]生：指屈原。无故：《文选》注谓“无故遇此祸也”。即无辜。　[13]斡（wò）弃：抛弃。斡，旋转。周鼎：比喻栋梁之材。　[14]康瓠（hú）：空壶，破瓦壶，多用以比喻庸才。　[15]腾驾:使(牲口)驾车。罢(pí):通“疲”，疲惫。　[16]骖（cān）：古代四马驾一车，中间的两匹叫“服”，两边的叫“骖”。蹇（jiǎn）：跛脚。　[17]垂两耳：吃力的样子。马负重过于吃力，就要低下头去并垂两耳。　[18]服：拉车。骥是骏马，用骏马来拉盐车，比喻糟蹋有才能的人。　[19]章甫荐履：用礼帽来垫鞋子，比喻倒行逆施。章甫，古代士阶层所用的一种礼帽。荐，草垫，此用作动词。履，鞋。　[20]渐:逐渐，这里指时间短暂。　[21]离：通“罹”，遭遇。咎（jiù）：灾祸。

译文

唉！唉！（您）遭逢的时代不好啊。鸾凤奔窜潜伏啊，恶鸟却漫天翱翔。无才无德的人尊贵显耀啊，谄谀之徒得志猖狂；贤才能臣被横拖倒拽啊，贤与不直位置颠倒。世人都认为卞随、伯夷这样的人恶浊啊，（却）认为盗跖、庄跻这样的人廉洁；（认为）宝剑莫邪粗钝啊，铅刀反而锋利善割。慨叹您的抱负无法施展，无辜遇祸啊！这就好比是丢弃了国宝周鼎，却把粗糙的瓦盆当成了宝物啊；用疲惫的老牛驾快车，用瘸腿的毛驴作骖乘，骏马却垂着两耳吃力地去拖盐车啊；帽子用来垫鞋，时间不能长久啊。慨叹先生您真不幸啊，独自遭受这样的祸难啊！

讯曰[1]：已矣[2]！国其莫我知兮，独壹郁其谁语[3]？凤漂漂其高逝兮[4]，固自引而远去[5]。袭九渊之神龙兮[6]，沕深潜以自珍[7]。偭蟂獭以隐处兮[8]，夫岂从虾与蛭螾[9]？所贵圣人之神德兮，远浊世而自藏。使骐骥可系而羁兮[10]，岂云异夫犬羊？般纷纷其离此尤兮[11]，亦夫子之故也[12]。历九州而相其君兮[13]，何必怀此都也[14]？凤凰翔于千仞兮[15]，览德辉而下之[16]。见细德之险征兮[17]，遥曾击而去之[18]。彼寻常之污渎兮[19]，岂能容夫吞舟之巨鱼？横江湖之鳣鲸兮[20]，固将制于蝼蚁[21]。

注释

[1]讯曰:告曰。相当于《楚辞》的“乱曰”,是全篇的结束语。 [2]已矣:算了吧。 [3]壹郁:同“抑郁”,忧闷。 [4]漂漂:同“飘飘”,飞翔的样子。高逝:飞得高高的。逝,离去。 [5]自引:自己引退。 [6]袭:效法。九渊:极言渊深。 [7]汩(mì):潜藏。自珍:自爱。 [8]偭(miǎn):背离,远离。蟂(xiāo):水虫,像蛇,四足,食鱼。獭(tǎ):水獭,食鱼。 [9]从:跟随。虾(há):蛤蟆。蛭(zhì):水蛭,蚂蟥一类。螾(yǐn):同“蚓”,蚯蚓。 [10]使:假使。系:用绳系住。羁(jī):用络头络住。 [11]纷纷:紊乱的样子。尤:祸患。 [12]夫子:指屈原。 [13]历:走遍。相:考察。 [14]此都:指楚国都城郢。这是贾谊为屈原提的建议,要他到处走一走,看到有贤君才停下来帮助他。 [15]千仞:极言其高。仞,七尺,一说为八尺。 [16]览:看到。德辉:指君主道德的光辉。 [17]细德:细末之德,指卑劣的品德。险征:危险的征兆。 [18]曾击:高翔。曾,高飞的样子。击,两翅击空,也是高飞的样子。去:离开。 [19]寻:八尺。常:十六尺。污:积水。渎(dú):小沟渠。 [20]鳣(zhān):鲨鱼一类的大鱼。鲸:鲸鱼。 [21]固:本来。

译文

尾声:算了吧!整个国家没有人了解我啊,独自忧愁抑郁又向谁诉说?凤凰飘飘地高飞远去,本来是自己引退离去。效法深渊中的神龙啊,深深地潜藏着来保护自己;想要与蟂獭决绝去隐居啊,怎么能够与蛤蟆、水蛭和蚯蚓为伍?所崇尚的是圣人的神明德行啊,要远离污浊的世界而保全自己;假使骐骥也能够被束缚而受羁绊啊,还怎么能够说它们与狗、羊有分别呢?在混乱的

世上遭受这样的祸难啊，也是您自己的原因啊。您可以走遍天下寻找明主啊，又何必留恋这楚都而不肯离去呢？凤凰在千仞的高空翱翔啊，看到人君圣德的光辉才肯降落下来；发现奸佞无德的危险征兆啊，就奋翅高飞而远远离开。那窄窄的小水沟啊，怎么能够容下吞舟的巨鱼？横行江湖的鳣鱼、鲸鱼，（如今陷于污水沟）本来就要受制于蝼蛄和蚂蚁。

文史链接

贾谊是西汉著名的政论家和辞赋家。少年时博通诸子百家，曾被汉文帝召为博士，每逢朝廷议事，亦对答如流，一年内迁太中大夫。由于贾谊力主改革政制，受当时元老重臣排斥，出为长沙王太傅。《吊屈原赋》是贾谊谪往长沙途经湘水时感念屈原生平而作，借凭吊古人以抒发自己的感慨。

赋前小序，写贾谊作《吊屈原赋》的时间、地点、原因及内容。这段文字曾散见于司马迁《史记》和班固《汉书》的“贾谊传”。由此可知，这是后人所加的。

在赋的正文中，作者对屈原的遭遇表示了深切地同情，控诉了那个是非颠倒的社会，抒发了自己愤懑不平的思想感情。作者先从正面叙述自己被外放为长沙王太傅，途经湘水，凭吊屈原，怀古伤今，对屈原的遭遇表示慨叹。接着，作者用“呜呼哀哉”的强烈感叹语气，对屈原的“逢时不祥”深表感伤。作者以“鸾凤”、“鸱枭”为喻，说明屈原那个时代进谗言和阿谀奉承的小人尊显得志，品行方正的贤圣反而不能安身。在那个时代，“康瓠”当宝，“周鼎”被弃。疲马、跛驴用来驾驭车子，良马反而低垂两耳去拉盐车。

最后一段是结尾，《楚辞》的惯例是在篇末用“乱曰”二字引起，本文的“讯曰”体例正与此同。“已矣！国其莫我知兮，独壹郁其谁语？”本从《离骚》“乱曰”中脱化出来。作者以屈原自比，认为“在这个社会里，既然没有人谅解我，那我又向谁诉说心事呢”？接着又以圣洁的凤凰和潜藏在深水中的神龙自比，决心避开混浊的世界而保全自己。最后再以凤凰、大鱼作比。凤凰在高空翱翔，看见有德行的光辉才肯下来，如果在德行的细节上有危险的征兆，就远远地高飞而去了。一条细水沟，怎能容得下吞舟大鱼，如果大鱼落在水沟里，就难怪要受虫蚁的欺压了。至此，譬喻说完，文章戛然而止。

在艺术手法上，本篇继承了屈原辞赋的传统，主要采用比喻手法，以善鸟仁兽喻贤人，以凶食猛兽喻小人。文中多用排比、对偶、对比、夸张等句式和修辞手法，形象鲜明，感情强烈，辞藻华丽，音节谐美，无过分堆砌的毛病。整篇精练紧凑，结尾寓有深刻感慨。

思考讨论

贾谊认为屈原可以离开楚国另寻明主，你如何看待屈原的投江行为？

上林赋

（西汉）司马相如[1]

亡是公听然而笑曰[2]：“楚则失矣[3]，而齐亦未为得也。夫使诸侯纳贡者[4]，非为财币，所以述职也[5]。封疆画界者[6]，非为守御，所以禁淫也[7]。

今齐列为东藩[8]，而外私肃慎[9]，捐国逾限[10]，越海而田[11]，其于义固未可也[12]。且二君之论[13]，不务明君臣之义[14]，正诸侯之礼，徒事争于游戏之乐，苑囿之大[15]，欲以奢侈相胜[16]，荒淫相越[17]，此不可以扬名发誉[18]，而适足以贬君自损也[19]。

注释

[1]司马相如（前179—前118）：字长卿，成都人。西汉著名辞赋家，以《子虚赋》《上林赋》为汉武帝所重。本文节选自《上林赋》。 [2]亡是公：作者假托的人名。亡，通“无”。听（yǐn）然：笑的样子。 [3]失：指不对。《上林赋》是承《子虚赋》而来，《子虚赋》是借楚国子虚和齐国乌有先生的对话展开，以折齐称楚结束，所以本文这样承接。 [4]纳贡：缴纳贡物。 [5]所以：用来……的。述职：诸侯向天子陈述履行职务方面的情况。述，述职。职，职责。 [6]封疆画界：划定诸侯国之间的疆域界限。古代植树为界，称封疆。在两封之间又树立标志，称画界。

[7]淫：放纵，过分。指诸侯放纵越轨，侵犯别国领土。

[8]东藩（fān）：东方屏藩之国。古时称诸侯国为藩，因它对中央起屏藩作用。齐国在东，故称“东藩”。藩，藩篱、屏障。引申为藩国。 [9]外私肃慎：对外私自与肃慎往来。私，作动词用，指私自交好。肃慎，古国名，在今长白山以北至黑龙江一带。 [10]捐国：指离开自己的国家。捐，弃。逾限：越过本国边界。 [11]越海而田：指《子虚赋》言齐王“秋田乎青丘”之事。“青丘”为传说中的海外国名，故云“越海”。田，通“畋”，

畋猎。　[12]固：确实。　[13]二君：指《子虚赋》中的子虚和乌有先生。　[14]务：致力于。　[15]苑囿（yòu）：古代畜养禽兽供帝王玩乐的园林。　[16]相胜：相互压服。[17]荒淫：迷于佚乐，沉湎酒色。　[18]扬名发誉：即发扬名誉，意思是使好的名声传播开来。　[19]适：恰好。贬君自损：贬低君主的名望，损害自己的声誉。

译文

亡是公微笑着说："楚国虽然错了，然而齐国也未必正确。若论到天子让诸侯交纳贡品，并不是为了财物，而是为了让他们到朝廷陈述其履行职务的情况；天子为诸侯划定疆界，也并非是要他们去守卫边境，而是为了防止他们越规违法的举动。如今，齐国位列东方的藩国，对外却私自与肃慎往来，远离国土，越过国界，跨越东海，到遥远的青丘去畋猎，这就诸侯应遵守的道义来说，确实不值得称道啊。况且你们二位先生的争辩，都不是竭力阐明君臣之间的正确关系，也不是端正诸侯的礼仪，而只是去争高下于游猎的欢乐、苑囿的大小，彼此都想以奢侈争胜负、以荒淫赛高低。这样做不是发扬了本国的美名，提高了威望，而只能是贬低了他们的威望，损害了你们自身的声誉。

"于是历吉日以斋戒[1]，袭朝服[2]，乘法驾[3]；建华旗，鸣玉鸾[4]；游于六艺之囿[5]，驰骛乎仁义之涂[6]，览观《春秋》之林[7]；射《狸首》[8]，兼《驺虞》[9]；弋玄鹤[10]，舞干戚[11]；载云罕[12]，掩群雅[13]；悲《伐檀》[14]，乐乐胥[15]；修容乎礼园[16]，

翱翔乎书圃[17]；述《易》道[18]，放怪兽[19]；登明堂[20]，坐清庙[21]；次群臣[22]，奏得失；四海之内，靡不受获[23]。于斯之时，天下大说[24]，乡风而听，随流而化[25]；芔然兴道而迁义[26]，刑错而不用[27]；德隆于三王[28]，而功羡于五帝[29]。若此，故猎乃可喜也。若夫终日驰骋，劳神苦形；罢车马之用，抏士卒之精[30]；费府库之财，而无德厚之恩；务在独乐[31]，不顾众庶；亡国家之政，贪雉兔之获：则仁者不繇也[32]。从此观之，齐楚之事，岂不哀哉！地方不过千里，而囿居九百[33]，是草木不得垦辟而人无所食也。夫以诸侯之细[34]，而乐万乘之侈[35]，仆恐百姓被其尤也[36]。”

注释

[1]历：选择。斋戒：古人在举行典礼之前，为了表示恭敬，不饮酒、不吃荤，不兴房事，称为斋戒。　[2]袭：穿。朝服：君臣在朝会时所穿之服。　[3]法驾：天子车驾的一种，用于通常的行动，由奉车郎御车，侍中骖乘，属车三十六乘，其排场比大驾为小，比小驾为大。　[4]鸾：通“銮”，车驾所系之铃。[5]六艺：即《诗》、《书》、《礼》、《乐》、《易》、《春秋》六经。此句是说遍读六经。　[6]涂：通“途”，道路。　[7]《春秋》之林：指《春秋》包含的众多的经验道理。　[8]射：指行射礼。《狸首》：

古逸诗的篇名。古代诸侯举行射礼时，奏《狸首》乐章。狸，猫属动物。 [9]《驺（zōu）虞》:《诗经·召南》中的一篇，古代天子举行射礼时，奏《驺虞》乐章。驺虞，相传是一种动物，性仁慈，不食生物，不践生草。 [10]弋（yì）玄鹤：指表演弋射玄鹤的舞蹈。弋，有绳子的箭，这里用作动词。玄鹤，黑色的鹤，古代认为它是一种瑞鸟，相传舜有乐歌名“和伯之乐”，奏时舞玄鹤。[11]干戚：盾和斧。相传舜舞干戚，感服了南方的有苗氏，后演化为舞干戚的大夏舞。 [12]云罕（hǎn）: 本指捕捉禽兽的网，这里有双关意,亦指天子出行时前驱的旌旗。 [13]掩:罩住,捕,这里指收罗。群雅：比喻文雅贤俊之士。雅，古通“鸦”，这里有双关意。 [14]悲《伐檀》:谓汉天子因读《伐檀》而兴悲。《伐檀》,《诗经·魏风》篇名。旧说这首诗是讽刺贤者不遇明主，这里说汉天子积极网罗贤俊，所以读《伐檀》而兴悲。 [15]乐乐胥(xū):谓汉天子因读到“乐胥”的诗句而高兴。《诗经·小雅·桑扈》:“君子乐胥,受天之祜(hù)。” [16]修容:修饰容仪。礼园:指修习礼仪之处。 [17]翱翔:徘徊，游赏。书圃：指《尚书》。[18]《易》: 指六经之一的《易经》，古人认为《易》包含有一些洁静微妙的道理。 [19]放怪兽：指因潜心六艺，不再猎取奇怪之兽。 [20] 明堂：古代天子召见诸侯、辨明尊卑之处。[21]清庙：太庙，天子祭祖先之庙。一说，是指明堂的正室。[22]次:次第。《史记》、《汉书》上作“恣”,意思是使群臣恣意进奏。[23]靡：没有。受获：以田猎有所获比喻受到天子恩泽。[24]说：通“悦”，高兴。 [25]乡风：趋从教化，指政治上的归顺和对个人的敬仰。乡，通“向”。随流：顺应潮流。这两句意谓像风行水流一样,百姓乐意服从天子。 [26]芔(huì):通“卉”,勃然兴起的样子。兴道:振兴道德。迁义:归向于义。迁,登,接近。

[27] 刑错：谓天下大治而刑法搁置不用。错，通“措”，搁置。

[28]“德隆”句：谓德高过了三王。隆，高、盛。三王，夏、商、周三代的贤君，即夏禹、商汤、周文王。 [29] 羡：富饶，这里是超过的意思。五帝：指黄帝、颛顼、帝喾、尧、舜。

[30] 抏（wán）：损耗。精：锐，指精力、锐气。 [31] 独乐：指统治者个人享受。 [32] 繇：通“由”，从。“仁者不繇也”指仁德之人不走这条路。 [33] 九百：九百方里。“囿居九百”指苑囿之广。 [34] 细：地位卑微。指国小、地位低。 [35] 乐万乘之侈：喜好天子的奢华。万乘，代指天子。 [36] 被其尤：遭受那种做法带来的祸殃。尤，祸患。

译文

“于是天子选择吉日举行斋戒，穿上朝服，采用法驾的仪仗；高举翠华之旗，响起玉饰的銮铃；沉浸于六艺的精髓，在仁义的大道上奔驰；观览《春秋》之林，以知往古兴亡得失；演奏《狸首》和《驺虞》之章，举行射礼；举着盾牌和大斧，跳起射玄鹤的舞蹈；车前的旌旗像罗网，像捕禽鸟一样访求天下的贤人雅士；读《伐檀》，为作者的慨叹而悲伤，读《乐胥》，为得才智之士而快乐；以《礼》为规范修饰容仪，在《尚书》圃中徘徊游赏以知远古、通政事；（潜心）阐释《周易》的道理以明阴阳变化，放走上林苑中各种珍禽怪兽；天子登上明堂，坐于正室，群臣依次第进奏政事之得失，天下黎民，无不受益。当此之时，天下大悦；他们顺应天子的风教，听从政令，顺应时代的潮流，接受教化；圣明之道勃然而振兴，人们都归附仁义，刑罚都可废弃不用了；这样天子之德比三王还高，天子之功比五帝还大。如果政绩达到这个地步，游猎才是可喜的事情。至于整天暴露身躯驰骋在苑囿之中，使精神劳累，筋疲力尽；

用光了车马的能力，损伤士卒的精力；浪费国库的钱财，而对百姓没有厚德大恩；只是致力于个人的欢乐，却不体恤百姓的疾苦，忘掉国家大政，却贪图野鸡兔子的猎获：这是仁爱之君绝不会做的事情。由此看来，齐国和楚国的游猎之事，岂不是很可悲吗！两国各有土地不超过方圆千里，而苑囿就占去九百。这样一来，草木之野不能开垦为耕田，百姓就没有粮食可吃。他们凭借微贱的诸侯地位，却要去享用天子的奢侈之乐，我害怕百姓将因他们的过失而遭受祸患。”

于是二子愀然改容[1]，超若自失[2]，逡巡避席曰[3]：“鄙人固陋[4]，不知忌讳[5]，乃今日见教，谨受命矣。”

注释

[1] 二子：指子虚和乌有先生。愀（qiǎo）然改容：改变了脸色。愀然，脸色改变的样子。 [2] 超若自失：怅然若失。超，通“惆”，怅惘，惆怅。若，义同“然”。 [3] 逡巡：向后退。避席：离开席位。表示不敢与亡是公同席而坐。 [4] 鄙人：粗鄙的人，谦称。固陋：顽固浅陋，指见识狭隘浅陋，不合于礼义。[5] 忌讳：指不应当说、不应当做的事。

译文

这时候子虚和乌有两位先生脸色都变了，怅然若失，立刻离席退步，说道：“鄙人浅薄无知，不知顾忌，今天才得到您的开导，我们一定认真恭敬地听从您的教诲。”

文史链接

《子虚赋》和《上林赋》都是司马相如的代表作，在《史记》和《汉书》本传合称"天子游猎赋"，南朝梁萧统在《文选》中始分为两篇。《上林赋》是汉代叙事大赋的典范，是将强烈的政治热情、丰富的思想主张、巧妙的讽谏方式及娴熟的创作手法熔于一炉的鸿篇巨制，可谓是百代无匹敌的佳作。

《上林赋》的整体构架，是以天子的代表"亡是公"竭力夸扬帝王苑囿的广大富有、宫殿的林立福利、田猎的盛况空前、宴乐的惊天动地，来压倒诸侯的代表"子虚"、"乌有"先生对齐楚的称美。这种更推进一层的描绘，典型地表现出汉代叙事大赋的艺术技巧：排比铺陈，不尽不止，气势博大；想象虚构，夸张扬厉，光怪陆离；叠字韵语，艳辞丽句，奇异宏富。

作者如此着墨，意图为何？前人已有定论。司马迁说："故空藉此三人为辞，以推天子诸侯之苑囿。其卒章归之于节俭，因以讽谏。"又说："无是公言天子上林广大，山谷水泉万物，及子虚言楚云梦所有甚众，侈靡过其实，且非义理所尚，故删取其要，归正道而论之。"（《史记·司马相如列传》）唐司马贞《索隐》云："大颜云：'不取其夸奢靡丽之论，唯取终篇归于正道耳。'"这里所揭示的"卒章显志"是符合作者创作意图的。

《上林赋》前十一段铺陈叙事，突出地表现了叙事大赋的艺术成就；后三段则说理陈志，集中地体现了讽谏的政治内容和讽谏的艺术手段。首先，"言天子之悔过，以示讽谏"（清何焯语）。赋篇在逐层推进的夸张之后，突然转折，写天子怅然长叹："此大奢侈！"暗示出作者夸饰上林、渲染田猎，是在暴露奢侈，而不是歌颂功德。继而巧借天子之口，提出了治国安民的政治主张，这种言褒意贬的讽谏，委婉而深刻。其次，借题发挥，语意双关，曲意讽谏。作者以天子田猎为话题："游于六艺之囿，驰骛乎仁义之涂，览观《春秋》之林。"这里字面是写天子春秋田猎游乐之景，语意则是劝天子要潜心于儒家的六经，推行仁义之道，借鉴《春秋》所总结的历史上成败的经验。其三，正反对照，直言讽谏，收结篇意。作者先叙述天子行仁义而"天下大说"，进行正面引导。接着由正而反，指出终日纵情田猎的危害：于己"劳神苦形"，于兵"抏士卒之精"，于民"百姓被其尤"，于国"费府库之财"，于君"亡国家之政"。身为文学侍从，在伴君如伴虎的时代，如此大胆尖锐地告诫帝王，确实难能可贵。

思考讨论

与早期的骚体赋相比，司马相如的赋有哪些新的特点？

归田赋

（东汉）张衡[1]

游都邑以永久[2]，无明略以佐时[3]；徒临川以羡鱼[4]，俟河清乎未期[5]。感蔡子之慷慨[6]，从唐生以决疑[7]；谅天道之微昧[8]，追渔父以同嬉[9]。超埃尘以遐逝[10]，与世事乎长辞[11]。

注释

[1] 张衡（78—139）：字平子，东汉时期南阳西鄂（今河南南阳）人。精于天文历算，以知识广博著称。文学创作有《二京赋》、《思玄赋》、《归田赋》、《四愁诗》等。　[2] 游：求仕，求职。都邑：指洛阳，为东汉定都所在。永久：长久。　[3] 明略：明智的计策。佐时：辅佐当时的君主。　[4] 徒临川以羡鱼：语出《淮南子·说林训》："临川流而羡鱼，不如归家织网。"表明自己空有佐时的愿望。徒，空、徒然。羡，愿。　[5] 河清：黄河水清，相传黄河一千年清一次，古人认为这是圣人出世、政治清明的标志。此句意思为等待政治清明，未可预期。　[6] 蔡子：指战国时燕国游士蔡泽。慷慨：悲叹，指壮士不得志于心。　[7] 唐生：即唐举，战国时梁人。决疑：解决疑惑，指问相之事。蔡泽游学诸侯未发迹时，曾请唐举看相，后入秦，代范雎为秦相。　[8] 谅：确实。微昧：幽隐难知。　[9] 渔父：指隐居江湖的人。宋洪兴祖《楚辞补注》引王逸《渔父章句序》："渔父避世隐身，钓鱼江滨，欣然而乐。"嬉：乐。此句表明自已将与渔父同乐于川泽。　[10] 埃尘：比喻污浊的世俗。遐逝：远走高飞。　[11] 世事：世务，尘俗之事。长辞：永别。由于政治昏乱，自己与时代不合，所以下定归田隐居的决心。

译文

（我）长久在京城中游历，却没有明智的谋略去辅佐当今的皇帝。徒劳地临视川渎而慕求鲜鱼，总也盼不到河清的时日。感慨蔡泽的不得心志，找唐举去相面来消除疑虑。（我）知道天道确实是微妙难知的，只好跟随渔夫以同游同娱。抛下这污浊的尘世而远游，与这混浊的世事永远告别。

于是仲春令月[1]，时和气清，原隰郁茂[2]，百草滋荣。王雎鼓翼[3]，鸧鹒哀鸣[4]；交颈颉颃[5]，关关嘤嘤。于焉逍遥[6]，聊以娱情。

注释

[1] 仲春：春季的第二个月，即农历二月。古时一月称为孟春，二月称为仲春，三月称为暮春。令月：好的月份。令，美、善。[2] 原：宽阔平坦之地。隰（xí）：低湿之地。郁茂：草木繁盛的样子。　[3] 王雎（jū）：鸟名，即雎鸠。　[4] 鸧鹒（cāng gēng）：鸟名，即黄鹂。　[5] 颉颃（xié háng）：鸟飞上飞下的样子。飞而上叫颉，飞而下叫颃。　[6] 于焉：于是乎。逍遥：安闲自得。

译文

在这仲春二月的好时节，气候温和，空气清新。广阔的原野之上，树木枝叶茂密，百草繁荣。鱼鹰在水面张翼低飞，黄鹂在枝头哀哀和鸣。群鸟成双成对，忽上忽下，叫声不停，美妙动听。此时此刻在这佳境中逍遥，姑且借以愉悦中情。

尔乃龙吟方泽，虎啸山丘[1]。仰飞纤缴[2]，俯钓长流；触矢而毙[3]，贪饵吞钩；落云间之逸禽[4]，悬渊沉之魦鰡[5]。

注释

[1]尔乃：于是。方泽：大泽。这两句言自己于山泽间从容吟啸，类乎龙虎。 [2]纤缴（zhuó）：指箭。纤，细。缴，射鸟时系在箭上的丝绳，借指射飞鸟。 [3]触矢：中箭。 [4]落：鸟在云间被射中而落下。逸禽：云间高飞的鸟。一说，指鸿雁。[5]魦鰡（shā liú）：皆是鱼名。

译文

于是我就在山川草泽间从容吟啸，任情感的潮水四处奔流，正如龙吟于大泽，虎啸于山丘。抬头飞射系有细丝的利箭，俯身往河里撒下钓丝；飞鸟因触箭而毙命，鱼儿因贪吃而上钩，射落高飞于云间的鸿雁，钓起沉于深渊的魦鰡。

于时曜灵俄景[1]，继以望舒[2]，极般游之至乐[3]，虽日夕而忘劬[4]。感老氏之遗诫[5]，将回驾乎蓬庐[6]。弹五弦之妙指[7]，咏周、孔之图书[8]；挥翰墨以奋藻[9]，陈三皇之轨模[10]。苟纵心于物外[11]，安知荣辱之所如[12]？

注释

[1]曜（yào）灵：太阳。俄：斜。景：同“影”，日光。[2]望舒：神话传说中为月亮驾车的仙人，这里代指月亮。[3]般（pán）游：游乐。般，乐。 [4]虽：虽然。劬（qú）：劳苦。[5]感老氏之遗诫：指《老子》第十二章：“驰骋畋猎，令人心发狂。”

[6] 回：返。驾：车驾。蓬庐：茅屋，草舍。　[7] 五弦：五弦琴，据说为舜所制。指：通"旨"，意趣。　[8] 周、孔之图书：周公、孔子著述的典籍。　[9] 翰：毛笔。奋：发。藻：辞藻。此句写其挥笔著文。　[10] 陈：陈述。三皇：上古圣皇。一说指天皇、地皇、人皇，一说指燧人、伏羲、神农，一说指伏羲、神农、女娲，说法不一。轨模：法则。　[11] 苟：且。　[12] 如：往，到。

译文

此时夕阳刚刚西斜，皓月已经升空。极尽游玩的乐趣，虽然日落还不知疲劳。有感于老子留下的遗训，打算驾车回到草庐。弹奏五弦琴妙趣横生，诵读圣人经典，更是心旷神怡。挥动笔墨，述说那三代圣王的教范。姑且让我置身于世俗之外，哪里还考虑眼前的荣辱得失呢？

文史链接

在东汉安帝、顺帝时担任过中央和地方要职的张衡，晚年对于当时宦官专权、朝政腐败的现实，已由愤慨而感到厌倦。所以，他在赋中抒发了"归田"的愿望，在大自然明丽幽静的怀抱中实现生命的价值。但张衡一生实际并未能真正归隐，他把归隐的生活想象与描述得十分优雅闲适，其实是表明自己高洁的志趣。

张衡慨叹政治清明时代的难以预期，正如黄河水清那样希望渺茫。赋一开始就笼罩着个人与社会政治生活无法相容的气氛。旧题为屈原所作的《渔父》中，塑造了一位带有浓重道家思想色彩的"渔父"形象，他劝诱屈原"与世推移"，随遇而安，试图在心灵上泯灭这种冲突和矛盾。张衡在赋中表白："谅天道之微昧，追渔父以同嬉。"说明其主题倾向是受到以"渔父"为代表的高蹈避世思想的影响的。对世事的失望乃至摆脱，使他的视野转向一个清新的充满诗意和生命意蕴的世界。

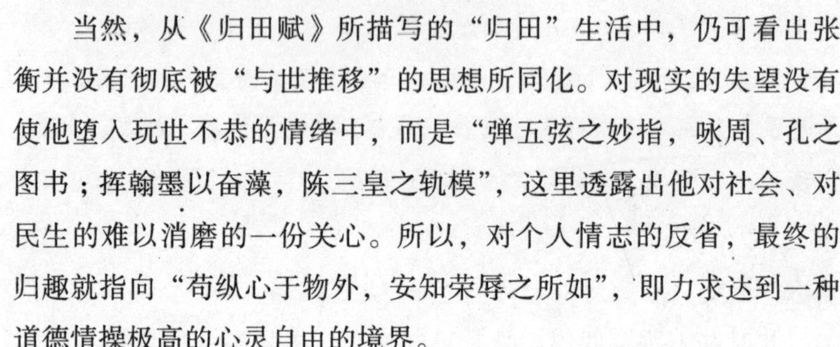

当然，从《归田赋》所描写的“归田”生活中，仍可看出张衡并没有彻底被“与世推移”的思想所同化。对现实的失望没有使他堕入玩世不恭的情绪中，而是“弹五弦之妙指，咏周、孔之图书；挥翰墨以奋藻，陈三皇之轨模”，这里透露出他对社会、对民生的难以消磨的一份关心。所以，对个人情志的反省，最终的归趣就指向“苟纵心于物外，安知荣辱之所如”，即力求达到一种道德情操极高的心灵自由的境界。

作为抒情短赋的杰作，《归田赋》开创出来的境界在赋史上是极其值得重视的，标志着东汉末年赋的创作从外向经营的逞辞大赋转向回归内心的抒情短章的演进之路。

思考讨论

你如何看待中国古代士大夫的“隐居”情结的？与梭罗在《瓦尔登湖》中表现的情趣有何不同？

登楼赋

（东汉）王粲[1]

登兹楼以四望兮，聊暇日以销忧[2]。览斯宇之所处兮[3]，实显敞而寡仇[4]。挟清漳之通浦兮[5]，倚曲沮之长洲[6]，背坟衍之广陆兮[7]，临皋隰之沃

流[8]。北弥陶牧[9]，西接昭丘[10]，华实蔽野[11]，黍稷盈畴[12]。虽信美而非吾土兮[13]，曾何足以少留[14]！

注释

[1]王粲（177—217）：字仲宣，东汉末年山阳高平（今山东邹县）人。少有才名，为避董卓乱，南下依附刘表，不被重用，羁留荆州达十五年之久。后来归附曹操，被任命为丞相掾，赐爵关内侯。“建安七子”（孔融、陈琳、王粲、徐干、阮瑀、应玚、刘桢）之一，在七子中成就最高，与曹植并称“曹王”。其诗辞气慷慨，风格清丽。 [2]暇：同“假”，借。 [3]斯宇：此楼，指王粲所登的麦城城楼。 [4]敞：高。寡仇：没有可以匹敌的。 [5]挟（xié）：带。漳：漳水，在今湖北当阳境内。漳水清澈，故称为清漳。浦：水港，港口。 [6]沮（jū）：沮水，也在当阳境内，与漳水汇合向南流入长江。沮水弯曲，故称曲沮。 [7]坟衍：地势高起为坟，广平为衍。 [8]皋：水边之地。沃流：可供灌溉的水流。 [9]弥：终极。陶：乡名，传说是陶朱公范蠡的葬地。牧：郊外。 [10]昭丘：楚昭王的坟墓，在沮水边上。 [11]华实：花和果实。 [12]盈：满。畴（chóu）：耕种的田。 [13]信：确实。 [14]曾：语助词。

译文

我登上这座城楼极目四望，姑且借这悠闲的时光来消解忧愁。（我）看这座楼宇所处的地理位置和形势，实在是开阔宽敞少有匹敌之地。城楼处在漳、沮水汇合处，好像挟带着清澈的漳水通向津浦一样，又如依傍着曲折的沮水中的长洲。背靠着广阔的高原，俯临低洼的河流，北至陶朱公长眠之地所在的郊野，西边连接着楚昭王的陵墓。繁花硕果遮蔽了原野，谷物长满了田地。（这里）虽然的确很美却不是我的乡土，又哪里值得我在此逗留？

遭纷浊而迁逝兮[1]，漫逾纪以迄今[2]。情眷眷而怀归兮[3]，孰忧思之可任[4]？凭轩槛以遥望兮[5]，向北风而开襟[6]。平原远而极目兮，蔽荆山之高岑[7]。路逶迤而修迥兮[8]，川既漾而济深[9]。悲旧乡之壅隔兮[10]，涕横坠而弗禁。昔尼父之在陈兮，有归欤之叹音[11]。钟仪幽而楚奏兮[12]，庄舄显而越吟[13]。人情同于怀土兮[14]，岂穷达而异心[15]！

注释

[1] 纷浊：紊乱浑浊，指时世的动乱。本句指作者因董卓之乱而避难荆州。　[2] 漫：长久。纪：纪年单位，十二年为一纪。[3] 眷眷：形容思念深切，留恋的样子。　[4] 孰：谁。任：当。[5] 凭：依靠。轩槛（jiàn）：栏板。　[6] 向北风：王粲家乡山阳高平在麦城之北。　[7] 荆山：在今湖北南漳，漳水发源于此。高岑：高山。　[8] 逶迤（wēi yí）：形容路长而曲折的样子。修：长。迥（jiǒng）：遥远，僻远。　[9] 漾：水波动荡的样子。济：渡。　[10] 壅（yōng）隔：阻隔。　[11] 尼父：即孔子。孔子在陈绝粮，曾叹息说："归欤，归欤！"　[12] 钟仪：楚国乐官，被晋俘虏，晋侯使之弹琴，他弹的仍是楚国乐调。　[13] 庄舄（xì）：庄舄为越国人，在楚国做大官，病中思念故乡，仍说越国方言。　[14] 怀土：怀恋故土。　[15] 穷达：不得志与显达。

译文

（我因为）逢上乱世而流落（到这里），至今已经度过漫长的十二年。（我）深切思念着故乡希望归去，谁能忍受这种离愁别恨啊！凭栏（向远方）眺望，迎着北风（我）敞开了衣襟。平原广阔，（我）纵目远望，高耸的荆山遮蔽了（我的）视线。道路弯弯曲曲又长又远，河水蜿蜒又宽又深。悲叹与故乡在丧乱中久久隔绝，眼泪横流不能自禁。忆昔日孔子被困在陈国，曾发出"回去吧"的叹息。钟仪被囚禁（在晋国）仍然演奏楚国的乐曲，庄舄显达于楚，病中还用越地的方音说话呻吟。可见人们思念故乡的感情并无差异，岂会因为穷困显达而变心？

惟日月之逾迈兮[1]，俟河清其未极[2]。冀王道之一平兮[3]，假高衢而骋力[4]。惧匏瓜之徒悬兮[5]，畏井渫之莫食[6]。步栖迟以徙倚兮[7]，白日忽其将匿[8]。风萧瑟而并兴兮，天惨惨而无色。兽狂顾以求群兮，鸟相鸣而举翼。原野阒其无人兮[9]，征夫行而未息。心凄怆以感发兮，意忉怛而憯恻[10]。循阶除而下降兮[11]，气交愤于胸臆。夜参半而不寐兮[12]，怅盘桓以反侧[13]。

注释

[1] 惟：念。逾迈：逝去。　[2] 河清：黄河水清，古代以此喻时世太平。　[3] 冀：希望。王道：王政。平：太平。　[4] 高衢（qú）：大道。　[5] 匏（páo）瓜：葫芦的一种。语出

《论语·阳货》:“(子曰)吾岂匏瓜也哉,焉能系而不食?”以匏瓜徒悬喻不为世用。　[6]渫(xiè):除去井中污浊。“井渫莫食”比喻自己虽洁其志而不为世用。　[7]栖迟:游息。徙倚:徘徊,逡巡。　[8]忽:忽然。　[9]阒(qù):寂静无声。[10]忉怛(dāo dá):忧伤,悲痛。憯(cǎn)恻:悲痛。[11]阶除:台阶。　[12]夜参半:半夜。　[13]盘桓(huán):徘徊,逗留。反侧:翻来覆去,转动身体。

译文

时光飞速流逝,年复一年,等待天下太平却总是没有到来。(我)期望圣王一统天下,让人们可以凭借太平盛世来施展自己的才能。(我)担心像葫芦那样徒然挂在那里(无人过问),又怕像井水淘清了却无人饮用。走走停停我终日徘徊啊,全不觉已是黄昏,太阳就要下山了。寒风萧瑟从四面吹来,天色昏暗惨淡,夜幕即将降临。野兽惊慌四顾寻找同伴,鸟雀互鸣急忙展翅归宿。原野寂静无人,(只有)征夫奔走不息。触景生情内心悲楚,百感交集更加悲愤。(我)沿着台阶慢慢下楼,抑郁愤慨之气充塞胸中。直到半夜不能入睡,翻来覆去惆怅不已。

文史链接

这篇赋乃王粲南依刘表时作。汉献帝兴平元年(194),董卓部将李傕、郭汜战乱关中,王粲遂离去长安,南下荆州,投靠刘表。到荆州后,因体貌短小,不为刘表所重,乃作此赋,以抒其流离忧愤之情。

此赋可分为三段,首段写登楼所览,先称赏所登之楼显敞寡仇,表现出乍一登上的快感,由此乃使望中所见山川原野尽收眼底,由望又触发怀念故乡及忧惧身世之感，终至思绪纷纭激越而不可开释。次段抒怀念乡土之情，前四句叙说所以流离之故及时间之久，“凭轩槛”以下几句写在楼上的展望活动，遥望家乡所在的北方，心目关切的是回乡的水路程途，然而望眼既为荆山高岭所遮蔽，归途的川原又深长难越，于是自然产生“悲旧乡”二句那种涕泗横溢的悲感，最后六句撮举古代圣贤为例证，言怀念乡土，人情所同，不因穷达而异。末段书写身世之忧，与其遭遇紧相联系，登览原为销忧，却适得其反，把感情抒发得无比强烈。

这篇赋是建安时代抒情小赋的杰作。它的卓越的艺术成就表现在它的体貌的高度精练，而情思的深厚丰腴，使读者自然而然地感受其意味深永。它的精练体现在无论是写景、抒情，以至运用典实来比喻其思想感情，都各适分而止，并不多事铺设辞藻，因而其感情表达得极为清晰而易于感人。

思考讨论

与骚体赋和汉大赋相比，《登楼赋》具有哪些新的特质？

洛神赋

（三国·魏）曹植[1]

黄初三年[2]，余朝京师[3]，还济洛川[4]。古人有言，斯水之神[5]，名曰宓妃[6]。感宋玉对楚王神女之事[7]，遂作斯赋，其词曰：

顾恺之　洛神赋图卷（宋摹）

注释

[1]曹植（192—232）：字子建，曹操第三子，曹丕之弟。封陈王，谥号思，因此世称“陈思王”。少有才华，其诗以五言为主，题材广，形式多，意象生动，语言精美，是建安文学的杰出代表。《诗品》称其“骨气奇高，词采华茂”。其赋婉丽多姿，或言神寄情，或托物寓意，对魏晋南北朝抒情小赋的兴盛起有重要的倡导作用。文章节选自《洛神赋》。　[2]黄初：魏文帝曹丕年号，即公元220—226年。　[3]京师：京城，指魏都洛阳，今河南洛阳。[4]济：渡。洛川：即洛水，源出陕西，东南入河南，经洛阳。[5]斯水：此水，指洛川。　[6]宓（fú）妃：相传为宓羲氏之女，溺死于洛水为神。《离骚》：“我令丰隆乘云兮，求宓妃之所在。”[7]“感宋玉”句：宋玉有《高唐赋》、《神女赋》，记楚襄王梦中与巫山神女相会的故事。

译文

黄初三年，我来到京都朝觐皇上，回来时渡过洛水。古人曾说洛水之神名叫宓妃。因有感于宋玉对楚王所说的神女之事，于是作了这篇赋。其辞如下：

余从京域[1]，言归东藩[2]，背伊阙[3]，越轘辕[4]，经通谷[5]，陵景山[6]。日既西倾，车殆马烦[7]。尔乃税驾乎蘅皋[8]，秣驷乎芝田[9]，容与乎阳林[10]，流眄乎洛川[11]。于是精移神骇[12]，忽焉思散[13]。俯则未察，仰以殊观[14]。睹一丽人，于岩之畔。乃援御者而告之曰[15]："尔有觌于彼者乎[16]？彼何人斯，若此之艳也！"御者对曰："臣闻河洛之神，名曰宓妃。然则君王之所见也，无乃是乎[17]？其状若何，臣愿闻之。"

注释

[1]京域：京都地区，指洛阳。　[2]言：发语词。东藩：东方藩国，指曹植在洛阳东北的封地鄄（juàn）城。　[3]背：背向。伊阙（què）：山名，又名阙塞山、龙门山，是古代有名的险隘关塞。《水经注·伊水注》："昔大禹疏以通水，两山相对，望之若阙，伊水历其间北流，故谓之伊阙矣。"山在洛阳南，曹植东北行，故曰背。　[4]轘（huán）辕：山名，在今河南偃师东南。《元和郡县志》："道路险阻，凡十二曲，将去复还，故曰轘辕。"[5]通谷：山谷名，在洛阳城南。　[6]陵：登。景山：山名，在今河南偃师南。　[7]殆：危险。烦：疲乏。马疲乏故车危殆。[8]税驾：解马卸车。税，舍、置。驾，车乘总称。蘅（héng）：杜蘅（一种香草）。皋（gāo）：河边高地。　[9]秣（mò）：喂养。驷：一车四马，此指驾车之马。芝田：种芝草的田。一说为地名，即

河南巩县西南的芝田镇。 [10]容与：悠然安闲貌。阳林：地名，一作“杨林”，因多生杨树而名。 [11]流眄（miǎn）：纵目而视。一作“盼”，旁视。 [12]精移神骇：谓神情恍惚。移，变。骇，散。[13]忽焉：急速的样子。 [14]以：而。殊观：所见殊异。[15]援：扯，拉。御者：车夫。 [16]觌（dí）：看见。[17]无乃：莫非。

译文

我从京都洛阳出发，向东回归东方的封地鄄城，离开伊阙，越过轘辕，途经通谷，翻过景山。这时太阳西斜，人困马乏。于是就在长满杜蘅草的高地卸了车，在生着芝草的地里喂马。游览阳林，纵目回望洛川。忽然精神恍惚，心神不定。低头时还没有看见什么，一抬头却发现了奇观，只见一个绝妙佳人，立于河岸边。我便拉着身边的车夫问道：“你看见那个人了吗？那是什么人，竟如此艳丽！”车夫回答说：“臣听说洛水之神的名字叫宓妃，既然这样，那么现在君王您所看见的，恐怕就是洛神！她长得如何，臣倒很想听您说说。”

余告之曰：其形也，翩若惊鸿[1]，婉若游龙[2]，荣曜秋菊[3]，华茂春松[4]。仿佛兮若轻云之蔽月[5]，飘飖兮若流风之回雪[6]。远而望之，皎若太阳升朝霞[7]。迫而察之[8]，灼若芙蕖出渌波[9]。秾纤得衷[10]，修短合度[11]。肩若削成[12]，腰如约素[13]。延颈秀项[14]，皓质呈露[15]，芳泽无加[16]，铅华弗御[17]。云髻峨峨[18]，

修眉联娟[19]。丹唇外朗[20]，皓齿内鲜[21]。明眸善睐[22]，靥辅承权[23]。瑰姿艳逸[24]，仪静体闲[25]。柔情绰态[26]，媚于语言。奇服旷世[27]，骨像应图[28]。披罗衣之璀粲兮[29]，珥瑶碧之华琚[30]。戴金翠之首饰[31]，缀明珠以耀躯。践远游之文履[32]，曳雾绡之轻裾[33]。微幽兰之芳蔼兮[34]，步踟蹰于山隅[35]。于是忽焉纵体[36]，以遨以嬉[37]。左倚采旄[38]，右荫桂旗[39]。攘皓腕于神浒兮[40]，采湍濑之玄芝[41]。

注释

[1]翩：飞得轻快的样子。惊鸿：惊飞的鸿雁。　[2]婉：体态柔美的样子。此句出自宋玉《神女赋》："婉若游龙乘云翔。"　[3]荣：丰盛。曜：光明照耀。　[4]华茂：华美茂盛。　[5]仿佛：若隐若现的样子。　[6]飘飖（yáo）：飞翔的样子。回：旋转。　[7]皎：洁白明亮。太阳升朝霞：太阳在朝霞中上升。　[8]迫：靠近。　[9]灼：鲜明灿烂，花盛的样子。芙蕖：荷花。渌（lù）：水清的样子。　[10]秾（nóng）：花木繁盛，此指人体丰腴。纤：细小，此指人体苗条。衷：中，恰到好处。　[11]度：标准。　[12]削成：刻削而成。　[13]约：束缚。素：白细丝织品。　[14]延、秀：均指长。项：后颈。　[15]皓：洁白。　[16]芳泽：芳香的油脂。　[17]铅华：粉。古代烧铅成粉，故称铅华。弗御：不施。御，进。　[18]云髻：形容头发浓密卷曲像云一样。峨峨：高耸的样子。　[19]联娟：又作"连娟"，细长弯曲的样子。　[20]朗：明亮。　[21]鲜：

鲜明，洁而美。 [22] 眸：目瞳子。睐：顾盼。 [23] 靥（yè）：即今所谓酒窝。辅：面颊。权：同“颧”，颧骨。 [24] 瑰：奇妙。艳逸：艳丽飘逸。 [25] 仪：仪态。闲：娴雅。 [26] 绰：宽缓。 [27] 奇服：奇丽的服饰。屈原《九章·涉江》：“余幼好此奇服兮，年既老而不衰。”旷世：犹言举世所无。旷，空。[28] 骨像：骨法、人像。应图：和图画上美人一样，合乎标准。[29] 璀（cuǐ）粲：衣动声。一说为明净的样子。 [30] 珥：珠玉耳饰，此用作动词，作佩戴解。瑶碧：美玉。华琚：刻有花纹的佩玉。 [31] 翠：翡翠。首饰：指钗簪一类饰物。 [32] 践：穿着。远游：鞋名。繁钦《定情诗》：“何以消滞忧，足下双远游。”文履：饰有花纹图案的鞋。 [33] 曳（yè）：拖。雾绡：轻薄如雾的绡。绡，生丝。裾：裙裾。 [34] 微：谓香气微通。芳蔼：香气。 [35] 踟蹰（chí chú）：徘徊。隅：角。 [36] 纵体：轻举的样子。 [37] 遨、嬉：都是游的意思。 [38] 采旄（máo）：彩色的旗。旄，旗杆上旄牛尾饰物，此处指代旗。 [39] 桂旗：用桂枝做旗杆的旗。屈原《九歌·山鬼》：“辛夷车兮结桂旗。”[40] 攘：此指揎起衣袖。神浒（hǔ）：为洛神所游之水边地。浒，水边泽畔。 [41] 湍濑（tuān lài）：石上急流。玄芝：黑芝草。

译文

我告诉他说：“她的形影，体态轻盈宛如惊鸿，身段柔美好像游龙。光彩照人胜似秋菊，亭亭玉立如春风中的青松。她时隐时现像薄云虚掩的明月，飘飘悠悠恰似清风吹起的白雪。远远望去，明洁如朝霞中升起的太阳；近处端详，鲜鲜艳艳似出水的芙蓉。她不胖不瘦，高矮适中，肩膀标致，如同削刻一般；腰条匀称，好像一束白绢，秀美洁白的长颈露在衣领外。她既不施脂，也不敷粉，发髻高耸如云，长眉微微弯曲，红唇鲜润，牙齿洁白，有一双含情顾盼的明眸，两个面颊下有甜甜的酒窝。她姿态优雅妩媚，举止安闲文静，温柔多情雍容尔雅，语词得体动听。她的服饰举世无双，长得漂亮如画儿一般。她身披明丽的罗衣，耳带宝石的玉环。头戴金银翡翠首饰，缀以周身闪亮的明珠。她脚着饰有花纹的绣鞋，拖着薄雾般的裙裾，隐隐散发出兰草清幽的芳香，在不远的山边徘徊徜徉。忽然她又飘然轻捷，往来嬉戏，左面倚着彩旄，右面旗杆皆是桂枝，在水边捋袖露出白玉般的手腕，采撷那急流浅滩上的灵芝。”

余情悦其淑美兮，心振荡而不怡[1]。无良媒以接欢兮，托微波而通辞[2]。愿诚素之先达兮[3]，解玉佩以要之[4]。嗟佳人之信修兮[5]，羌习礼而明诗[6]。抗琼珶以和予兮[7]，指潜渊而为期[8]。执眷眷之款实兮[9]，惧斯灵之我欺[10]。感交甫之弃言兮[11]，怅犹豫而狐疑[12]。收和颜而静志兮[13]，申礼防以自持[14]。

注释

[1]振荡：形容心动荡不安。怡：悦。　[2]微波：指微小的波浪。一说指目光，亦通。　[3]诚素：真诚的情意。素，同“愫”。　[4]要（yāo）：同“邀”，约请。　[5]信修：确实美好。张衡《思玄赋》：“伊中情之信修兮，慕古人之贞节。”　[6]羌（qiāng）：发语词。习礼：懂得礼法。明诗：善于言辞。　[7]抗：举起。琼珶（dì）：美玉。和：应答。　[8]潜渊：深渊，指洛神所居之地。期：

会。 [9]眷眷：通"睠睠"，心向往的样子。款实：诚实的心意。[10]斯灵：此神，指宓妃。我欺：即欺我。 [11]交甫：郑交甫。《神仙传》："切仙一出，游于江滨，逢郑交甫。交甫不知何人也，目而挑之，女遂解佩与之。交甫行数步，空怀无佩，女亦不见。"弃言：背弃信言。 [12]狐疑：疑虑不定。相传狐性多疑，渡水时且听且过，因称狐疑。 [13]收和颜：收敛笑容。静志：镇定情志。[14]申：施展。礼防：礼义的约束。礼能防乱，故称礼防。防，障。自持：自我约束。

译文

我爱慕她的俊美，感情激动而心旌摇曳不安。因为没有合适的良媒去说情，只能借助微波来送上心曲。我愿自己真诚的心意能先于别人陈达，解下玉佩作为定情之礼。赞叹佳人实在美好，知书达理又善言辞，她举着美玉向我做出回答，指水发誓约会佳期。我心中依恋向往，又恐洛神不守信义。因有感于郑交甫曾受骗上当，心中不免疑虑不定，于是收敛笑容使自己冷静下来，坚守礼义来约束自己。

于是洛灵感焉，徙倚彷徨[1]。神光离合[2]，乍阴乍阳[3]。竦轻躯以鹤立[4]，若将飞而未翔。践椒涂之郁烈[5]，步蘅薄而流芳[6]。超长吟以永慕兮[7]，声哀厉而弥长[8]。

注释

[1]徙倚：犹低回、徘徊。 [2]神光：指洛神的身影。离合：

若隐若现的意思。 [3]阴：暗。阳：明。神去时光暗，神来时光明。 [4]竦(sǒng)：耸。鹤立：像鹤一样站立。 [5]椒涂：有浓郁香味的路。椒，花椒，有浓香。郁烈：香气浓烈。 [6]薄：草丛生之处。 [7]超：惆怅。永慕：长久思慕。 [8]厉：激烈。弥：久。

译文

这时洛神深受感动，流连徘徊，神采飞扬，忽去忽来。她鹤立般地耸起轻盈的躯体，如将飞而未翔；又踏着充满花椒浓香的小道，走过杜蘅草丛而随风飘香。忽又放声长吟以表示对我深深地爱慕，饱含深情声音久长。

文史链接

名传千古的《洛神赋》，虽然因了作者"流眄"洛川的触动，并且受到了宋玉《神女赋》的感发，但它的真正起因，或许是曹植经历了苍黄翻覆的宫廷风云之变，在崎岖山坂的颠簸和悲忧交瘁的沉思间，所做的一场绮丽清梦？

《洛神赋》的构思写法，显然带有模拟《神女赋》的痕迹。当作者落笔描摹所见洛神的形貌时，仿佛立志要与宋玉笔下的巫山神女争辉似的，重在展示她那照人的神采和明艳的姣容，采用了"荣曜秋菊，华茂春松"，"皎若太阳升朝霞"，"灼若芙蕖出渌波"的排喻，及"云髻峨峨，修眉联娟。丹唇外朗，皓齿内鲜。明眸善睐，靥辅承权"的点染，但仍有区别。宋玉的描摹一发即收，更带印象式的"梦"境特点和飘忽之感。曹植则不同，因为不是写"梦"，看得也比较真切，故更重视云蒸霞蔚的彩笔雕画，使形象更觉明丽而纤毫毕现，正是这些出色的描摹，使洛神的性格表现带有了

曹植的个性特色：与巫山神女的娴丽、雅静不同，在美丽的洛神身上，似乎透露着更多的热情、大胆和天真之性。

最令人惊异的，是作者描述洛神痛苦情状时的突然转笔；文中由此展出了"众灵杂遝，命俦啸侣"的一派欢乐景象，在这样的热闹、欢乐之境中，表现洛神悄然"延伫"、举袖掩面的悲叹之情，正有王夫之所说的"以乐景写哀"的强烈反衬效果。而况陪伴孤寂洛神的，又是泪洒斑竹、沉身湘水的"二妃"，踯躅汉水、只与郑交甫有"解佩"一晤之缘的"游女"——她们当年的酸辛悲剧，不都在无声地诉说着此刻洛神悲剧重演的绵绵伤情么？

全赋写到洛神的率众离去，此时再不像她显现时那样爽朗无忧、天真欢快，虽然她还是那样美丽，但一颗纯真热情的心，却因了主人公的猜忌、人神的"道殊"而破碎了！她是带着不尽的幽怨和哀伤，在"抗罗袂以掩涕兮，泪流襟之浪浪"中逝去的。这幕景象，正如朱冀评论《离骚》结尾一节的描述一样，"极凄凉中偏写得极热闹，极穷愁中偏写得极富丽"（《离骚辨》），更牵动读者的叹惋唏嘘之情。然而这位多情的女神仍未割舍对主人公的眷恋和倾心："无微情以效爱兮，献江南之明珰。虽潜处于太阴，长寄心于君王。"由于作者那充满怅意的收笔，洛神的倩影至今似还袅袅不绝地飘忽在洛川的云水苍茫之间。

美丽热情的"洛神"——曹植，即使是在梦中，也仍未达成效"爱"社稷的"微"愿：这是不是《洛神赋》那恍惚迷离之辞背后所包含着的最令作者叹伤的深沉意蕴呢？

思考讨论

曹植想借对洛神的赞美表达什么？

芜城赋

（南朝·宋）鲍照[1]

沵迤平原[2]，南驰苍梧涨海[3]，北走紫塞雁门[4]。柂以漕渠[5]，轴以昆岗[6]。重关复江之奥[7]，四会五达之庄[8]。当昔全盛之时，车挂轊[9]，人驾肩[10]，廛闬扑地[11]，歌吹沸天[12]。孳货盐田[13]，铲利铜山[14]，才力雄富，士马精妍[15]。故能侈秦法[16]，佚周令[17]，划崇墉[18]，刳浚洫[19]，图修世以休命[20]。是以板筑雉堞之殷[21]，井干烽橹之勤[22]，格高五岳[23]，袤广三坟[24]，崪若断岸[25]，矗似长云[26]。制磁石以御冲[27]，糊赪壤以飞文[28]。观基扃之固护[29]，将万祀而一君[30]。出入三代[31]，五百余载，竟瓜剖而豆分[32]。

注释

[1]鲍照（414—466）：字明远，南朝宋东海（今山东郯城）人。出身贫寒，曾任临海王刘子顼前军参军，故世称“鲍参军”，后因刘子顼作乱，死于乱兵。鲍照长于乐府和七言歌行，风格俊逸，文字劲健，是“总四家（张协、张华、谢混、颜延之）而擅美，跨两代（晋、宋）而孤出”（《诗品》）的优秀诗人，与谢灵运、颜延之并称“元嘉三大家”，辞赋骈文亦著称于世。　[2]沵迤（mǐ yǐ）：地势相连斜平的样子。平原：广陵。　[3]苍梧：汉置郡名，

治所即今广西梧州。涨海：古海名，相当于我国南海至爪哇海一带。[4]紫塞：指长城。秦所筑长城，土色皆紫，故称紫塞。塞，边塞。雁门：郡名，三国时在今山西代县西北。 [5]柂（duò）：引。漕渠：古时运粮的河道，即指今江苏江都西北至淮安三百七十里的运河，古名邗沟。 [6]轴：车轴。昆岗：亦名阜岗、昆仑岗、广陵岗，广陵城在其上。这句说昆岗横贯广陵城下，如车轮轴心。[7]"重关"句：谓广陵城为重重叠叠的江河关口所遮蔽。奥，深隐之处。 [8]"四会"句：谓广陵有四通八达的大道。庄，大道。[9]挂轊（wèi）：车轴头互相碰撞。形容车辆之多。轊，车轴的顶端。 [10]人驾肩：是说因为人多拥挤，所以肩膀被挤得抬起来。[11]廛闬（chán hàn）扑地：住宅密密麻麻地排列在一起。廛，市民居住的区域。闬，里门。扑地，到处都是。 [12]吹：指箫、笛、笙、簧等乐器吹发的声音。沸天：是说歌吹沸腾之声直达天空。[13]孳（zī）：繁殖。货：财货。盐田：《史记》记西汉初年广陵为吴王刘濞所都，他曾命人煮海水为盐。 [14]铲利：取利。铜山：产铜的山。刘濞曾命人开采郡内的铜山铸钱。以上两句谓广陵有盐田铜山之利。 [15]精妍：指士卒训练有素而装备精良。妍，美好。 [16]侈：奢侈，这里是超越的意思。 [17]佚：超越。此两句谓刘濞据广陵，因为国富民强，所以一切规模制度都超过周、秦两代。 [18]划崇墉（yōng）：谓建造高峻的城墙。划，剖开。崇墉，高峻的城。 [19]刳（kū）浚洫（xù）：凿挖深沟。刳，挖。浚，深。洫，沟渠。 [20]图：图谋。修世：永世。休命：美好的天命。这句说图谋国运长久。 [21]板筑：以两板相夹，中间填土，然后夯实的筑墙方法。这里指修建城墙。雉（zhì）堞（dié）：城墙长三丈高一丈称一雉，城上凹凸的墙垛称堞，即女墙。殷：大，盛。 [22]井干：原指井上的栏圈。此借喻城楼。

烽：烽火，古时筑城，以烽火报警。橹：望楼。此谓大规模地修筑城墙，营建烽火望楼。　[23] 格：格局，这里指高度。五岳：指东岳泰山、西岳华山、南岳衡山、北岳恒山、中岳嵩山。

[24] 袤（mào）广：南北的长度称袤，东西的长度称广。三坟：指汝河、淮河、黄河三条河的流域。坟为“隆起”之意。

[25] 崒（zú）：危险而高峻。断岸：陡削的河岸。　[26] 矗：高耸直上的样子。　[27] 御冲：防御突然的袭击。　[28] 糊：粘。赪（chēng）：红色。飞文：光彩四照的图案。此谓墙上用红泥糊满光彩焕发。　[29] 基扃（jiōng）：即城阙。扃，门上的关键。固护：牢固。　[30] 万祀：万年。一君：指一姓的统治。

[31] 出入：犹言经过。三代：指汉、魏、晋。　[32] 瓜剖、豆分：以瓜之剖、豆之分喻广陵城崩裂毁坏。

译文

地势辽阔平坦的广陵郡，南通苍梧、南海，北通长城雁门关。前有漕河潆洄，下有昆岗横贯。周围江河城关重叠，地处四通八达之要冲。在从前广陵的全盛之时，车如流水，经常车轴相碰，行人摩肩擦背，里坊密布，歌唱吹奏之声响彻云天。开发盐田孳衍财货，开采铜山从中取利。广陵人才众多，兵马装备精良。所以规模超越秦朝制法，体制逾越周代的规定。筑高墙，挖深沟，图谋国运长久和通运兴隆。所以用夹木板大规模地修筑城墙，辛勤地营建备有烽火的望楼。使广陵城郭高过五岳，地域广袤与三坟连接。城墙若断岸一般高峻，似长云一般耸立。用磁铁制成城门以防歹徒冲入，城墙上糊红泥绘以飞动的花纹。看城池修筑得如此牢固，总以为会世世代代而永属一姓，哪知只经历三代，五百多年，基业竟然就毁坏如豆剖瓜分了。

泽葵依井[1]，荒葛罥涂[2]。坛罗虺蜮[3]，阶斗麕鼯[4]。木魅山鬼[5]，野鼠城狐，风嗥雨啸，昏见晨趋。饥鹰砺吻[6]，寒鸱吓雏[7]。伏暴藏虎[8]，乳血飡肤[9]。崩榛塞路，峥嵘古馗[10]。白杨早落，塞草前衰。棱棱霜气[11]，蔌蔌风威[12]。孤蓬自振[13]，惊沙坐飞。灌莽杳而无际[14]，丛薄纷其相依[15]。通池既已夷[16]，峻隅又以颓[17]。直视千里外，唯见起黄埃。凝思寂听，心伤已摧。

注释

[1] 泽葵：莓苔一类植物。 [2] 葛：蔓草。罥（juàn）：挂绕。 [3] 坛：堂中。罗：罗列，布满。虺（huǐ）：毒蛇。蜮（yù）：短狐，亦名射工。 [4] 麕（jūn）：獐，似鹿而体形较小。鼯（wú）：鼯鼠，长尾，前后肢间有薄膜，能飞，昼伏夜出。 [5] 木魅：木石所幻化的精怪。 [6] 砺（lì）：磨。吻：嘴。 [7] 吓（hè）：怒叫声，恐吓声。 [8] 暴：猛兽。 [9] 乳血：饮血。飡（cān）肤：食肉。飡，同“餐”。 [10] 馗（kuí）：同“逵”，大路。 [11] 棱棱：霜气劲锐之状。 [12] 蔌（sù）蔌：风声劲疾之状。 [13] 孤蓬：蓬草，其花如球，随风旋转。振：拔，飞。 [14] 灌莽：丛生之草木。杳：幽远。无际：没有边际。 [15] 丛薄：草木杂处。 [16] 通池：城壕，护城河。 [17] 峻隅：指高城。

译文

水草爬满井壁，野生的葛藤缠绕着道路。庭院中毒蛇、短狐遍布，阶前野獐、鼯鼠相斗。木石精灵、山中鬼怪，野鼠城狐，在风雨之中怒吼狂呼，于晨昏时出没奔走。饥饿的野鹰在磨砺尖嘴，寒冷的鸱子正惘吓着小鸟。潜伏的野兽、隐藏的饿虎，吸吮血浆，吞噬肌肤。崩折的榛莽塞满道路，古道阴森荒芜可怕。白杨树叶早已凋落，离离荒草已经枯败。霜气凛冽，风声簌簌。孤蓬忽自扬起，沙石翻卷漫飞。灌木林莽幽深无际，草木杂处缠绕相依。城壕已经填平，高峻的角楼也已坍崩。远望千里之外，唯见黄尘飞扬。聚神凝听而寂无所有，令人心中悲伤之极。

若夫藻扃黼帐[1]，歌堂舞阁之基，璇渊碧树[2]，弋林钓渚之馆，吴蔡齐秦之声[3]，鱼龙爵马之玩[4]，皆薰歇烬灭[5]，光沉响绝。东都妙姬，南国佳人，蕙心纨质[6]，玉貌绛唇[7]，莫不埋魂幽石，委骨穷尘[8]，岂忆同辇之愉乐[9]，离宫之苦辛哉[10]！

注释

[1]藻扃：雕花的门。黼(fǔ)帐：绣花帐。　[2]璇(xuán)渊：玉池。璇，美玉。碧树：玉树。　[3]吴蔡齐秦之声：谓各地聚集于此的音乐歌舞。　[4]鱼龙爵马：古代杂技的名称。爵，通“雀”。　[5]薰（xūn）：香气。烬：物经火烧的残余部分。[6]蕙心：芳心。蕙，兰蕙，开淡黄绿色花，香气馥郁。纨（wán）：丝织的细绢。　[7]绛（jiàng）唇：朱唇。　[8]委：弃置。穷：

第一章 辞赋

尽。 [9] 同辇（niǎn）：古时帝王命后妃与之同车，以示宠爱。[10] 离宫：皇帝的行宫，此指失宠后妃所居的冷宫。

译文

至于那绣帐彩门，歌舞楼台，玉池碧树，射猎林苑、垂钓沙洲，幽雅的馆阁；吴、蔡、齐、秦各地的音乐，鱼龙雀马各种玩要的奇珍；全都烟消香散，光逝声绝。东都洛阳的美姬、吴楚南方的佳人，体态柔嫩，玉貌朱唇，没有一个不是魂归于泉石之下，委身于尘埃之中。谁还会回想当日同辇得宠的欢乐，或独居离宫失宠的痛苦！

天道如何？吞恨者多[1]！抽琴命操[2]，为芜城之歌。歌曰："边风急兮城上寒，井径灭兮丘陇残[3]。千龄兮万代，共尽兮何言！"

注释

[1] 吞恨：抱恨。 [2] 抽：取。命操：谱曲。 [3] 井径：田间的小路。丘陇（lǒng）：坟墓。

译文

试看天道变化如何？世上抱恨者何其多！取下瑶琴，谱一首曲，命名为《芜城之歌》。歌词说：边风急啊城上寒，阡陌荒芜啊陵墓荒残，千秋啊万代，都消亡啊有何可言！

文史链接

芜城即广陵（今江苏扬州），其为淮左名都，自西汉初年刘濞在此建都以来，地方经济有了发展。在南北朝初期，成为南北交通枢纽，最为富盛。但在宋文帝末，却在十年中间遭遇两次战乱。大明三年（459），鲍照正客江北，平刘诞乱不久，即来到广陵。时创痕犹新，血迹尚在，他目睹惨状，悲从中来，感发而为《芜城赋》。全文分为三段，第一段写广陵的地理形势、昔日的繁华以及城池的兴废，第二段写广陵昔日的繁华荡尽无遗，第三段抒发作者对人世沧桑、反复无常的感慨。

这篇赋作于广陵两次战乱以后，其“废池乔木”的荒凉景象是作者亲眼所见。它不是一般意义上的登临览胜吊古之作，而主要是一篇抚迹生悲、感事伤时的现实主义作品。如何焯说此赋是针对刘骏剿杀刘诞的内乱，“照盖感事而赋也”（《义门读书记》）。近代的林纾也说：“文不敢斥言世祖（刘骏）之夷戮无辜，亦不言竟陵（刘诞）之肇乱，入手言广陵形胜及其繁盛，后乃写其凋敝衰飒之形，俯仰苍茫，满目悲凉之状溢于纸上，真足以惊心动魄矣。”（《林纾评点古文辞类纂》）广陵当时是江北重镇，它的盛衰可说是国家兴亡的缩影。痛惜它的衰落，无疑寄寓着作者对国家前途命运的深刻隐忧，这正是此赋的主旨所在。

《芜城赋》是历来传诵的名作。此赋的艺术特色首先是对比手法的运用。赋的作意是痛惜广陵的荒凉残破，但并未直接落笔，而是先描绘“全盛之时”的繁盛情形，然后提笔一转，折到写当今上来。这样，一盛一衰的两种情景紧紧扣合，形成强烈对照。清人许梿说：“从盛时极力说入，总为‘芜’字张本，如此方有势有力。”（《六朝文絜笺注》）可谓深有会心。

夸张手法也是此赋的又一特色。赋中写盛时“车挂辖，人驾肩，廛闬扑地，歌吹沸天”，衰时“白杨早落，塞草前衰”，“直视千里外，唯见起黄埃”等，无不极尽夸张之能事。清人姚鼐说：“驱迈苍凉之气，惊心动魄之辞，皆赋家之绝境也。”(《古文辞类纂》)文中的极意夸张，将盛衰之间的悬殊拉大到了顶点，因而使得对比效果达到了极致。

思考讨论

在思想感情方面，本赋与建安文学相比有何不同？你能分析一下原因吗？

别 赋

（南朝·梁）江淹[1]

黯然销魂者[2]，唯别而已矣！况秦吴兮绝国[3]，复燕宋兮千里[4]；或春苔兮始生，乍秋风兮暂起[5]。是以行子肠断，百感凄恻。风萧萧而异响，云漫漫而奇色。舟凝滞于水滨，车逶迟于山侧[6]，棹容与而讵前[7]，马寒鸣而不息。掩金觞而谁御[8]，横玉柱而霑轼[9]。居人愁卧，怳若有亡[10]。日下壁而沉彩[11]，月上轩而飞光。见红兰之受露，望青楸之离霜[12]。巡曾楹而空掩[13]，抚锦幕而虚凉[14]。知离梦之踯躅[15]，意别魂之飞扬[16]。

注释

[1]江淹（444—505）：字文通，济阳考城（今河南民权）人。出身孤寒，沉静好学，历仕南朝宋、齐、梁三朝。诗歌风格幽深奇丽，长于拟古，又长于抒情小赋，以《别赋》、《恨赋》脍炙人口。

[2]黯然：心神沮丧，形容惨戚之状。销魂：丧魂落魄。[3]秦吴：古国名，秦国在今陕西一带，吴国在今江苏、浙江一带。绝国：相隔极远的邦国。[4]燕宋：古国名，燕国在今河北一带，宋国在今河南一带。[5]乍：忽然，一说“乍”与上文“或”互文见义。[6]逶迟：慢慢行走的样子。[7]棹（zhào）：船桨，这里指代船。容与：形容行进徐缓。讵（jù）前：滞留不前。此处化用屈原《九章·涉江》中“船容与而不进兮，淹回水而凝滞”的句意。

[8]掩：覆盖。觞（shāng）：酒杯。御：进用。[9]横：横持，阁置。柱：琴瑟上的系弦之木，这里指琴。霑：同“沾”，泪水沾湿。轼：车前的横木。[10]恍（huǎng）：失意的样子。亡：失。

[11]沉彩：落日的光辉消失掉。[12]楸（qiū）：落叶乔木，枝干端直，高达三十米，古人多植于道旁。[13]曾楹（yíng）：高高的楼房。楹，厅堂前部的柱子。掩：关闭，此处指关门。

[14]锦幕：锦织的帐幕。[15]踯躅：徘徊不前的样子。

[16]意：料想。飞扬：指心神不安。

译文

最使人黯然销魂的，莫过于别离啊。何况秦、吴两国是相去极远的国家，燕、宋两地更是相隔千里。春草吐绿，秋风乍起。因此游子离肠寸断，百感交集凄凉悱恻。听萧萧秋风不同常响，望万里云天色彩奇异。船在水边停滞不前，车在山旁行进缓慢，船桨迟缓不愿前行，马儿悲鸣徘徊不已。盖住金杯吧谁有心思喝

下美酒，放下琴瑟吧泪水沾湿了车前轼木。居留家中的人怀着愁思而卧，恍然若有所失。夕阳西下玩下隐退，月亮升起，清辉洒满长廊。看到兰草春露染上了秋红，又见青楸遇寒蒙上了白霜。巡行旧屋空掩起房门，抚弄锦帐，更觉空冷凄凉。想必游子别离后在梦中也徘徊不前，猜想他别绪茫茫无所往。

故别虽一绪，事乃万族[1]：至若龙马银鞍[2]，朱轩绣轴[3]，帐饮东都[4]，送客金谷[5]。琴羽张兮箫鼓陈[6]，燕赵歌兮伤美人[7]；珠与玉兮艳暮秋，罗与绮兮娇上春[8]。惊驷马之仰秣[9]，耸渊鱼之赤鳞[10]。造分手而衔涕[11]，感寂漠而伤神[12]。

注释

[1] 族：类。　[2] 龙马：马八尺以上古代称为“龙马”。[3] 朱轩：贵者所乘红色车厢。绣轴：有锦绣帷幕的车子，此指车驾之华贵。　[4] 帐饮东都：西汉疏广、疏受告老还乡，公卿大夫故旧数百人为其践行于长安东都门外。帐饮，于郊野张帷帐设酒食践行。　[5] 金谷：晋代石崇所造金谷园在洛阳西北金谷。时征西将军祭酒王诩当返回长安，石崇携众人与其帐饮于金谷园。[6] 琴羽：指琴中弹奏出羽声。羽，五音之一，羽声慷慨。张：调弦弹奏。　[7] 燕赵歌：古时传言燕赵两国多出歌舞乐伎美女。这句是说燕赵乐伎美女歌唱悲伤动人。　[8] 上春：即初春。[9] 驷马：古时四匹马拉的车驾称驷，马称驷马。仰秣：抬起头吃草。言本来正在进食的马，因听到美妙的音乐声而扬起头来。

[10] 耸：因惊动而跃起。鳞：指渊中之鱼。语出《韩诗外传》："昔者瓠巴鼓瑟而潜鱼出听，伯牙鼓琴而六马仰秣。"形容音乐之美妙动听，连鱼和马都受到感动。 [11] 造：至。衔涕：含泪。 [12] 寂漠：即"寂寞"。

译文

因此，虽然同是离别，但具体情况却千差万别：至于像那种骑着骏马银鞍，乘着朱车彩饰的车轩送行的，他们在东都门外搭起蓬帐饯行，送别故旧于金谷名园。琴弦发出羽声啊箫鼓杂陈，燕赵的悲歌啊让美人心伤；晚秋，佩珠戴玉人更美，初春，穿罗着绮更娇媚。歌声使吃草马儿仰头静听，深渊的鱼也跃出水面聆听。到了分手之时，人们也噙着泪水，深感孤单寂寞而黯然神伤。

乃有剑客惭恩[1]，少年报士[2]，韩国赵厕[3]，吴宫燕市[4]，割慈忍爱，离邦去里，沥泣共诀[5]，抆血相视[6]。驱征马而不顾，见行尘之时起。方衔感于一剑[7]，非买价于泉里[8]。金石震而色变[9]，骨肉悲而心死[10]。

注释

[1] 惭恩：受恩未报感到惭愧。 [2] 报士：心怀报恩之念的侠士。 [3] 韩国：指战国时侠士聂政为韩国严仲子报仇，刺杀韩相侠累一事。赵厕：指战国初期，豫让因自己的主人智氏为赵襄子所灭，乃变姓名为刑人，入宫涂厕，挟匕首欲刺杀赵襄子

一事。　[4] 吴宫：指春秋时专诸置匕首于鱼腹，在宴席间为吴国公子光刺杀吴王僚一事。燕市：指荆轲与朋友高渐离等饮于燕国街市，因感燕太子丹恩遇，藏匕首于地图中，至秦献图谋刺秦王嬴政未成，被杀。高渐离为了替荆轲报仇，又一次入秦谋杀秦王事。　[5] 沥泣：下泪。诀：别。　[6] 抆（wěn）血：眼泪流尽，继之以血。所以擦血。形容极度悲伤。抆，擦拭。[7] 衔感:满含感激之情。衔,怀。　[8] 买价:指以生命换取金钱。泉里:黄泉。　[9] 金石震:钟、磬等乐器齐鸣。　[10]“骨肉”句:语出《史记·刺客列传》。聂政刺杀韩相侠累后，剖腹毁容自杀，以免牵连他人。韩国当政者将他暴尸于市，悬赏千金。他的姐姐聂荌说：“妾其奈何畏殁身之诛，终灭贤弟之名！”于是宣扬弟弟的义举，伏尸而哭，最后在尸身旁边自杀。骨肉，指死者亲人。

译文

又有自惭受恩未报的剑客，和心怀报恩的年轻侠士，如聂政击杀韩相侠累、豫让欲刺赵襄子于宫厕，专诸入吴宫杀吴王、荆轲入秦去行刺秦王，他们舍弃慈母娇妻的温情，辞别邦国乡里，洒泪而别，泣血相望。骑上征马就不再回头，只见路上尘土飞扬。这正是不忘感恩，要以一剑报知遇，并非为黄泉之下买美名。钟、磬震响吓得懦夫脸色陡变，亲人悲恸得尽哀而死。

或乃边郡未和，负羽从军[1]。辽水无极[2]，雁山参云[3]。闺中风暖，陌上草薰。日出天而耀景[4]，露下地而腾文[5]，镜朱尘之照烂[6]，袭青气之烟煴[7]。攀桃李兮不忍别，送爱子兮沾罗裙[8]。

注释

[1]羽：箭。　[2]辽水：辽河，在今辽宁西部。无极：没有尽头。　[3]雁山：雁门山，在今山西原平西北。参云：高插入云。　[4]耀景：光辉照耀。景，日光。　[5]腾文：指露水在阳光下反射出绚烂的色彩。　[6]镜：照。朱尘：红尘。照烂：明亮灿烂的样子。　[7]袭：笼罩。青气：春天草木上腾起的烟霭。烟煴（yīn yūn）：同"氤氲"，云气笼罩弥漫的样子。
[8]爱子：爱人，指征夫。

译文

有时候边境有战事，人们背着弓箭毅然从军。辽河水悠悠无尽头，雁门山巍巍入云端。闺房之中春风暖，阡陌之上绿草芬芳。日出青天放光芒，露珠落地光彩熠熠，阳光照耀红尘闪闪发光，地覆青气烟云笼罩。人们攀折桃李枝条啊不忍诀别，为心爱的丈夫送行啊泪水沾湿了衣裙。

至如一赴绝国，讵相见期[1]。视乔木兮故里[2]，决北梁兮永辞[3]。左右兮魂动，亲宾兮泪滋。可班荆兮赠恨[4]，惟尊酒兮叙悲[5]。值秋雁兮飞日，当白露兮下时。怨复怨兮远山曲，去复去兮长河湄[6]。

注释

[1]讵：岂。　[2]乔木：高大的树木。古代以乔木为故乡标志。王充《论衡·佚文》："睹乔木，知旧都。"　[3]决：同"诀"，别。北梁：北边的桥。永辞：永别。　[4]班：铺设。荆：树枝条。

第一章 辞赋

据《左传·襄公二十六年》载，楚国伍举与声子相善，伍举将奔晋国，在郑国郊外遇到声子，“班荆相与食，而言复故”。后来人们就以“班荆道故”来比喻亲旧惜别的悲痛。　[5] 尊：同“樽”，酒器。[6] 湄：水边。

译文

至于去那遥远的国度，哪里还有相见的时日。最后望一眼故乡的树木吧，在北面的桥梁上啊诀别告辞。送行的左邻右舍啊魂魄牵动，亲朋故友啊落泪伤心。可以铺设树枝而坐啊把怨情倾诉，只有凭借杯酒啊倾诉离别愁绪。正值秋雁南飞日，恰是白露欲下时。怨了又怨啊在那远山多曲处，走了又走啊在那长长的河流边。

又若君居淄右[1]，妾家河阳[2]。同琼佩之晨照[3]，共金炉之夕香，君结绶兮千里[4]，惜瑶草之徒芳[5]。惭幽闺之琴瑟，晦高台之流黄[6]。春宫闷此青苔色[7]，秋帐含兹明月光，夏簟清兮昼不暮[8]，冬釭凝兮夜何长[9]！织锦曲兮泣已尽，回文诗兮影独伤[10]。

注释

[1] 淄(zī)：淄水。在今山东境内。　[2] 河：古代专指黄河。阳：水的北岸、山的南面，古时称阳。　[3] 琼佩：玉制的佩饰。[4] 结绶：佩结绶带官印，指做官。绶，系印章的丝带。　[5] 瑶草：香草。妻子自喻青春年华。徒芳：比喻虚度青春。　[6] 晦：昏暗不明。高台：高的楼台。流黄：指黄色绢丝的帐帷。一说这里

指爱人离别以后，织布也没有心思，因此流黄上面蒙上了一层晦暗的灰尘。一说这里指黄绢做成的帷幕，意指妇人为免伤情，不敢卷起帷幕远望。　[7]春宫：妇女居处，指闺房。閟（bì）：关闭。[8]簟（diàn）：竹席。　[9]釭（gāng）：灯。凝：光聚集不动的样子。　[10]“织锦”二句：据武则天《璇玑图序》载，前秦苻坚时，窦滔镇襄阳，携宠姬赵阳台之任，断妻苏惠音问。蕙因织锦为回文，五彩相宣，纵横八寸，题诗二百余首，计八百余言，纵横反复，皆成章句，名曰《璇玑图》以寄滔。一说窦滔身处沙漠，妻子苏惠就织锦为回文诗寄赠给他（《晋书·窦滔妻苏氏》）。

译文

又如郎君远离在淄右，妻子遥隔在河之北。我们曾佩戴着琼玉一起沐浴晨光，一起坐在香烟袅袅的金炉旁度过一个个夜晚。（可是）郎君结绶做官啊一去千里，可惜妻如香草徒然芬芳。深闺无心弹琴瑟，高台懒怠遮流黄。春天楼宇关闭遮住了外面青翠的苔色，秋天只有洁白的月光伴着空帐；夏天守着清凉的竹席啊却嫌白日迟迟未暮，冬天伴着昏暗的灯光啊寒夜漫长！为织锦中曲啊泪已流尽，写着回文诗啊独自顾影悲伤。

傥有华阴上士[1]，服食还山[2]。术既妙而犹学，道已寂而未传[3]。守丹灶而不顾[4]，炼金鼎而方坚[5]，驾鹤上汉，骖鸾腾天[6]。暂游万里，少别千年[7]。惟世间兮重别，谢主人兮依然[8]。

注释

[1] 傥（tǎng）：或。华阴：即华山，在今陕西渭南。上士：求仙的人。　[2] 服食：服食丹药，道家以为服食丹药可以长生不老。还山：即成仙，一作“还仙”。　[3] 寂：安静。传：至，最高境界。　[4] 丹灶：炼丹炉。不顾：不管世事。　[5] 炼金鼎：在金鼎里炼丹。方坚：谓意志正坚。　[6] 骖：乘。鸾：古代神话传说中凤凰一类的鸟。　[7] 少别：小别。　[8] 谢：告辞，告别。依然：谓依依不舍。

译文

或有在华山求仙修行的道士，服用丹药以求成仙。虽有妙术仍苦学，道已至“寂”但尚未得其佳。一心守炼丹灶不问世事，一心炼丹而意志正坚。想骑着仙鹤直上霄汉，驾着鸾鸟飞上青天。瞬间可遨游万里，小小一别，人间已过千年。唯有世间啊看重别离，虽已成仙与世人告别啊仍依依不舍。

下有芍药之诗[1]，佳人之歌[2]。桑中卫女，上宫陈娥[3]。春草碧色，春水渌波，送君南浦[4]，伤如之何！至乃秋露如珠，秋月如珪[5]，明月白露，光阴往来，与子之别，思心徘徊。

注释

[1] 下有：此外还有。芍药之诗：语出《诗经·郑风·溱洧》：“维士与女，伊其相谑，赠之以芍药。”是男女相爱的情歌。

[2] 佳人之歌：汉李延年歌“北方有佳人，绝世而独立”。

[3]桑中卫女，上宫陈娥：语出《诗经·鄘风·桑中》："云谁之思？美孟姜矣。期我乎桑中，要我乎上宫，送我乎淇之上矣。"桑中、上宫，双方约定相会的地点。卫女、陈娥，泛指美女。这里用《诗经》中的典故来叙述幽会。 [4]南浦：南边水口。《楚辞·九歌·河伯》："子交手兮东行，送美人兮南浦。"后以"南浦"泛指送别之地。 [5]珪（guī）：古代玉制礼器，上尖下方的瑞玉。

译文

还有男女咏"芍药"情诗，唱"佳人"恋歌。他们如卫国多情的少女，陈国美貌的春娥与情人在桑中、上宫幽会。当春草一片碧绿，春水清波荡漾离别之时，送郎君送到南浦，与君话别心伤难止！到了深秋，霜露如珠，秋月似玉，皎洁的月光照在珍珠般的霜露上，时光远逝，自从与郎君分别后，缕缕愁思牵着心。

是以别方不定[1]，别理千名[2]，有别必怨，有怨必盈[3]，使人意夺神骇，心折骨惊[4]。虽渊云之墨妙[5]，严乐之笔精[6]，金闺之诸彦[7]，兰台之群英[8]，赋有凌云之称[9]，辩有雕龙之声[10]，谁能摹暂离之状，写永诀之情者乎！

注释

[1]别方：别离的方式。 [2]名：种类。 [3]盈：充盈。 [4]心折骨惊：应为骨折心惊，作者故意这样运用以显示用词造语之奇。 [5]渊：即王褒，字子渊。云：即扬雄，字子云。二人

都是汉代著名的辞赋家。　[6]严：严安。乐：徐乐。二人为汉代著名文学家，曾上书汉武帝言时务，深得武帝赞赏。　[7]金闺：原指汉代长安金马门，后来为汉代官署名。是聚集才识之士以备汉武帝诏询的地方。彦：有学识才干的人。　[8]兰台：东汉中央藏书和讨论学术的地方，设兰台令史，掌典校图籍治理文书。英：杰出的文人。　[9]凌云：指司马相如。据《史记·司马相如列传》载，司马相如作《大人赋》，汉武帝赞誉为“飘飘有凌云之气，似游天地之间”。　[10]雕龙：指驺奭。据《史记·孟子荀卿列传》载，驺奭写文章，善于闳辩，所以齐人称颂为“雕龙奭”。此用其事，形容辞令如辩，声誉甚高。

译文

所以尽管别离的方式不一，别离的原因也千差万别，但有别离必有哀怨，有哀怨必然充塞于心，使人丧魂落魄，毛骨悚然。纵有王褒、扬雄绝妙的辞赋，严安、徐乐精湛的文笔，有待诏金马门的文学之士，兰台那里的杰出文人，辞赋如司马相如有“凌云之气”的美称，措辞可获“雕镂龙文”的声誉，然而有谁能描摹出分离时瞬间的情状，抒写出永诀时难舍难分之情呢！

文史链接

《别赋》是江淹赋的代表作，也是南朝齐、梁赋的代表作。它的特点不是作者抒发自己的离愁别绪，而是描写人间种种离别的情景。作者的情感，与其说是伤感的同情，不如说是无奈的感慨，而且相当清醒。所以在思想上，作者把人间离别悲伤作为一种人之常情，并不对离别原因、背景及结果作出政治、社会的褒贬。

作者善于从不同方面对各类离别悲伤进行特征的描写。一般离别发生在游子离家、思妇空闺的情境。“行子肠断”是离开亲爱者与熟悉的生活环境，登上旅途，涉水越山，暑夏寒冬，一切陌生、奇异、无聊，引起孤独落寞的思念，“百感凄恻”。“居人愁卧”是生活环境依旧，丈夫离开了，忍受孤独空虚的煎熬，时光消逝，朝思暮想，一切熟悉、感伤、思愁，百无聊赖，“恍若有亡”。这样的描写是细致的，也是富有特征的。

在艺术上，作者的语言艺术造诣使本文成功地做到了骈对精整，文句活泼，词采绚丽，用典得当，而且声韵铿锵，和谐动听。这方面便足以代表齐、梁时代的特点和成就。本文除了通篇使用齐、梁骈文最基本的四六句格式外，还很注意四六句的搭配运用、虚词和语气词的调节作用以及句子的语法结构变化。例如“况秦吴兮绝国”四句，去掉虚词、语气词，便是四言四句：“秦吴绝国，燕宋千里，春苔始生，秋风暂起。”加了“况”、“复”、“或”、“乍”及“兮”字，主要不是句意明确与否，而是语气情调明显了，变得舒缓沉重，抒情色彩浓厚了。本文用典也很多，熔炼精当，如“惊驷马之仰秣，耸渊鱼之赤鳞”，用“瓠巴鼓瑟而渊鱼出听，伯牙鼓琴而六马仰秣”的故事，见于《韩诗外传》、《荀子》及《淮南子》等典籍，使文采增辉，形象鲜明。

思考讨论

你认为本文写哪一种别绪最出色？为什么？

小园赋

(南朝·梁)庾信[1]

尔乃窟室徘徊[2],聊同凿坯[3]。桐间露落,柳下风来。琴号珠柱[4],书名《玉杯》[5]。有棠梨而无馆[6],足酸枣而非台[7]。犹得敧侧八九丈[8],纵横数十步,榆柳三两行,梨桃百余树。拨蒙密兮见窗[9],行敧斜兮得路。蝉有翳兮不惊[10],雉无罗兮何惧!草树混淆,枝格相交[11]。山为篑覆[12],地有堂坳[13]。藏狸并窟,乳鹊重巢[14]。连珠细茵[15],长柄寒匏。可以疗饥[16],可以栖迟[17],崎岖兮狭室[18],穿漏兮茅茨[19]。檐直倚而妨帽,户平行而碍眉[20]。坐帐无鹤[21],支床有龟[22]。鸟多闲暇,花随四时。心则历陵枯木[23],发则睢阳乱丝[24]。非夏日而可畏,异秋天而可悲[25]。

注释

[1]庾信(513—581):字子山,南阳新野(今河南新野)人。早年出入梁朝宫廷,善作宫体诗,风格华艳。梁元帝承圣三年(554)出使西魏,被强留于长安。因为庾信文学修养很高,先后受到西魏、北周的厚待,在北周累迁骠骑大将军、开府仪同三司,世称“虞开府”。庾信身居高位,常怀故土,作品中表现出浓厚的乡关之思

和羁宦北国的悲愤感情。后期作品苍劲沉郁，与前期有显著不同。文章节选自《小园赋》。 [2] 窟室：垒土而成的土室。

[3] 凿坯：指后墙穿破，比喻屋破。坯，土坯。 [4] 珠柱：琴名，以珠为支弦琴柱。 [5]《玉杯》：书名。汉代董仲舒说《春秋》事，有《玉杯》、《蕃露》、《清明》、《竹林》之属数十篇，十余万言。

[6] 棠梨：馆名，在汉甘泉宫中。 [7] 酸枣：县名，故城在今河南延津北。城西有韩王望气台。这句是说园中有酸枣而无望气台。

[8] 攲（qī）侧：偏在一边，倾斜。 [9] 蒙密：茂盛的样子。

[10] 翳（yì）：荫蔽。 [11] 枝格：树木的枝条。树高枝长叫格。这两句是说园中草树任其生长而不加修葺。 [12] 篑(kuì)：盛土的竹筐。覆：倾倒。语出《论语·子罕》："譬如平地，虽覆一篑，进，吾往也。" [13] 堂坳（āo）：堂前可容小水的低洼。《庄子·逍遥游》："覆杯水于坳堂之上，则芥为之舟。"这两句竭力说园之小，其中山水好像覆一筐土、一杯水而成。 [14] 重巢：复叠为巢。 [15] 连珠：连成串的珠子。 茵：席。

[16] 疗饥：止饿。《诗经·陈风·衡门》："衡门之下，可以棲迟。泌之洋洋，可以乐饥。" [17] 栖迟：栖息。 [18] 崎岖：倾侧不安。 [19] 茅茨（cí）：茅屋。茨，茅草盖的屋顶。

[20] 妨帽、碍眉：形容房屋的低矮。 [21] 坐帐无鹤：这句是说自己无仙术可以归建邺。 [22] 支床有龟：这句是说自己久住长安，时间之长犹如龟之支床。典出《史记·龟策传》。

[23] 历陵：县名，汉时属豫章郡。故城在今江西九江东。应劭《汉官仪》："豫章郡树生庭中，故以名郡矣。此树尝中枯，逮晋永嘉中，一旦更茂，丰蔚如初。"这句是说自己心如枯木。 [24] 睢（suī）阳：县名，故宋国地。故城在今河南商丘南。墨翟是宋人，尝见染素丝者而叹。这句是说自己因忧愁而发白如素丝。 [25] "非

夏日”句：出自《左传·文公七年》：“酆舒问于贾季曰：‘赵衰、赵盾孰贤？’对曰：‘赵衰冬日之日，赵盾夏日之日也。’”杜预注：“冬日可爱，夏日可畏。”“异秋天”句：宋玉《风赋》有“悲哉秋之为气也”之句。这两句是说自己一年四季心中只有畏悲而无乐趣，与古人之畏夏日、悲秋者不同。

译文

于是徘徊于土筑小屋之中，在小园中自得其乐。园中桐间的露水零落，柳下清风徐来。我弹奏着珠柱之琴，诵读着《玉杯》名篇。园中有棠梨、酸枣树，但没有楼台馆阁。小园不规则，占地八九丈，纵横几十步，榆柳两三行，梨桃百余棵。拨开茂密的枝叶即见窗，走过曲折的幽径可得路。蝉有树荫隐蔽而不惊恐，野雉不必担心罗网陷阱而自由自在。草树混杂，枝干交叉。一篑土为山，一小洼为水。与藏狸同窟而居，与乳鹊并巢生活。细茵连若贯珠，葫芦绵蔓高挂。在此可以解饿，可以栖居。狭室高低不平，茅屋漏风漏雨。房檐不高直起身来能碰到帽子，户门低小直身可触眼眉。帐幔朴素引不来白鹤，床榻陈旧垫脚的只能是神龟。鸟儿悠闲慢舞，花随自开自落，四季随心。唯独我心如枯木，寂静无波，发如待染的一团素丝。不怕炎热的夏日，不悲萧瑟的秋天。

一寸二寸之鱼，三竿两竿之竹。云气荫于丛蓍[1]，金精养于秋菊[2]。枣酸梨酢[3]，桃榹李薁[4]。落叶半床，狂花满屋。名为野人之家[5]，是谓愚公之谷[6]。试偃息于茂林[7]，乃久羡于抽簪[8]。虽有门而长闭，实无水而恒沉[9]。三春负锄相识，五月

披裘见寻[10]。问葛洪之药性[11]，访京房之卜林[12]。草无忘忧之意[13]，花无长乐之心[14]。鸟何事而逐酒[15]？鱼何情而听琴[16]？

注释

[1]蓍（shī）：古代卜筮用的草。　[2]金精：即甘菊。

[3]梨酢：梨之有酸味者。酢，古“醋”字。　[4]榹（sī）：山桃，似桃而小。薁（yù）：山李。　[5]野人：泛指村野之人，农夫。

[6]愚公之谷：典出《说苑·政理》，指愚公居住的地方。

[7]偃息：闲居。茂林：深林。　[8]抽簪：簪为连系冠发之物，抽簪即散发，指弃官闲居。　[9]沉：隐伏，隐没。此句典出《庄子·则阳》：“方且与世违，而心不屑与之俱，是陆沉者也。”郭象注：“人中隐者，譬无水而沉，曰陆沉。”这是说自己虽然显达，实则志在隐遁。　[10]五月披裘：典出《高士传》：“披裘公者，吴人也。延陵季子出游，见道中有遗金，顾披裘公曰：‘取彼金。’公投镰瞋目拂手而言曰：‘何子处之高而视人之卑，五月披裘而负薪，岂取金者哉！’”　[11]葛洪：字稚川，晋丹阳句容人，有医术。　[12]京房：字君明，汉东郡顿丘人，善占卜。

[13]忘忧草：即萱草，一名紫萱。　[14]长乐花：紫花。

[15]鸟逐酒：典出《庄子·至乐》：“昔者海鸟止于鲁郊，鲁侯御而觞之于庙，奏九韶以为乐，具太牢以为膳。鸟乃眩视忧悲，不敢食一脔，不敢饮一杯，三日而死。”　[16]鱼听琴：典出《韩诗外传》：“瓠巴鼓瑟而渊鱼出听。”

译文

一两寸的鱼在水洼中游动，两三竿翠竹自在生长。雾气缭绕着丛生的蓍草，九月的秋菊采为金精。有酸枣酢梨、山桃郁李；落叶积满半床，狂风吹落黄花满屋。这里可以叫作野人之家，又可称为愚公之谷。试着在茂林之下卧息，更可体味羡慕已久的隐居生活。小园虽有门而经常关闭，我实在愿作与世相违的隐士。在暮春与荷锄者相识，五月受披裘者寻访。向葛洪提问药性之事，向京房询问周易之变。忘忧之草不能令人忘忧，长乐之花也无法让人长乐。鸟为什么不饮鲁酒？鱼为什么出渊听琴？

加以寒暑异令[1]，乖违德性[2]。崔骃以不乐损年[3]，吴质以长愁养病[4]。镇宅神以薶石[5]，厌山精而照镜[6]。屡动庄舄之吟[7]，几行魏颗之命[8]。薄晚闲闺，老幼相携；蓬头王霸之子，椎髻梁鸿之妻[9]。燋麦两瓮[10]，寒菜一畦。风骚骚而树急[11]，天惨惨而云低。聚空仓而雀噪，惊懒妇而蝉嘶[12]。

注释

[1]寒暑异令：指因北方与南方的气候不同而时令相异。[2]乖违德性：违背自己的生性。 [3]崔骃（yīn）：字亭伯，汉安平人。不为窦宪所容，出为长岑长。崔骃不乐远去为地方官，遂不赴任，郁郁不得意，卒于家。 [4]吴质：字季重，与徐干等并与曹丕友好。建安二十二年（217），魏国大疫，诸人多死。曹丕与质书，质报之曰："质已四十二矣，白发生鬓，所虑日深，实不

复若平日之时也。”　[5] 镇:镇压。宅神:住宅之神。薶石:即“埋石”。　[6] 厌：通“压”，抑制。山精：山中精怪。　[7] 庄舄之吟:越人庄舄出国做大官，病中思念故乡，仍旧发着越国的语音。[8] 魏颗之命：春秋时晋人，父死，不从父命让父亲之妾殉葬，而是让她嫁人。　[9] 椎髻：简易像椎形的发髻，比喻简朴。梁鸿之妻：汉时隐士梁鸿娶同县孟光。孟光开始以盛装入门，七日而梁鸿不理她，孟光于是改梳椎髻，穿布衣，梁鸿才高兴。　[10] 燋:通“焦”。　[11] 骚骚：风动的样子。　[12] 惊懒妇：古代俗语“促织鸣，惊懒妇”。促织，即蟋蟀，因为促织的鸣声与蝉相似，所以说“蝉嘶”。一说，蝉疑作“蛩”，蟋蟀亦作吟蛩。

译文

加之我不能适应南北方寒热不同的气候，又违背自己的性情品行。如崔骃因为不乐而损寿，如吴质因为长愁而患病。埋石降伏宅神，悬镜威吓山妖。常兴起庄舄思乡之情，又如魏子一般病到神志昏聩。全家老小都来到了长安，每到傍晚，闲室之中，老老少少，相携相依。有首如飞蓬之子，有椎髻布衣之妻。有两瓮焦麦，有一畦寒菜。沙沙风吹树木摇曳，天色惨惨阴云低垂。雀聚空仓聒噪不已，间有蟋蟀的鸣声传来。

昔草滥于吹嘘[1]，藉文言之庆余[2]。门有通德[3]，家承赐书。或陪玄武之观，时参凤凰之墟[4]。观受釐于宣室[5]，赋长杨于直庐[6]。遂乃山崩川竭[7]，冰碎瓦裂[8]，大盗潜移[9]，长离永灭[10]。摧直辔于三危[11]，碎平途于九折[12]。荆轲有寒水之悲[13]，苏

武有秋风之别[14]。关山则风月凄怆[15]，陇水则肝肠断绝[16]。龟言此地之寒[17]，鹤讶今年之雪[18]。百灵兮倏忽，光华兮已晚[19]。不雪雁门之踦[20]，先念鸿陆之远[21]。非淮海兮可变[22]，非金丹兮能转。不暴骨于龙门[23]，终低头于马坂。谅天造兮昧昧[24]，嗟生民兮浑浑[25]。

注释

[1]草滥：以草莽之人而滥居列位。吹嘘：谓吹竽。这里借用南郭先生滥竽充数之事，意指自己没有才能而滥受禄位。
[2]文言：指《易·乾卦·文言》："积善之家，必有余庆。"指自己出仕梁朝系赖先人之余荫。 [3]通德：共同遵循的道德。这里是指他的祖父虞易为齐征士，如汉之郑玄。 [4]墟：处所。
[5] 受釐（xī）：汉制祭天地五畤，皇帝派人祭祀或郡国祭祀后，皆以祭余之肉归致皇帝，以示受福。釐，祭余之肉。 [6]长杨：即长杨宫，汉代扬雄曾作《长杨赋》。直庐：为值宿所止之处。此为回忆昔时在梁朝所受恩遇。 [7]山崩川竭：指梁武帝太清二年（548）侯景之乱。 [8]冰碎瓦裂：是说国家遭乱之后破碎不全。 [9]大盗：指侯景。潜移：侯景之乱后，梁元帝迁都江陵。
[10]长离：一说为凤凰，指梁武帝子孙；一说为星名。 [11]三危：中国古代西方山名。 [12]九折：坂名。三危、九折都为极险之地。
[13]寒水之悲：荆轲入秦，与众人在易水告别，歌曰："风萧萧兮易水寒，壮士一去兮不复还。" [14]秋风之别：苏武出使匈奴被扣留十九年，归国时，汉降将李陵与之作别，相传临别赠诗有"欲因晨风发，送子以贱躯"之句。自喻因出使西魏而被扣留。 [15]"关

山”句：乐府旧题《关山月》，多写戍卒思家和家人念远之情。

[16]“陇水”句：古乐府《陇头歌辞》：“陇头流水，鸣声幽咽，遥望秦川，肝肠断绝。” [17]“龟言”句：是说自己思归江南，不欲如龟客死于秦。 [18]“鹤讶”句：用来指梁元帝之死。典出《异苑》：“晋太康二年冬，大雪，南洲人见二白鹤语于桥下曰：‘今兹寒，不减尧崩年也。’于是飞去。”梁元帝十二月被杀，因以此喻。

[19]光华：年华。 [20]雪：洗除。 [21]鸿陆：言大雁飞行渐进于小山顶，宛如夫君远征不返。 [22]“非淮海”句：《国语·晋语九》：“雀入于海为蛤，雉入于海为蜃。鼋、鼍、鱼、鳖，莫不能化。唯人不能，悲夫！” [23]暴骨于龙门：传说鱼登龙门化为龙，不登者点额暴腮而返。 [24]天造：天运。昧昧：昏乱，模糊不清。言大自然制造万物于草创之际、冥昧之时。 [25]浑浑：迷糊，不清醒，无知貌。

译文

当年我这样没有才能的人却滥受禄位，承蒙皇恩家有余庆。家祖素性高洁，曾恩承皇上赐书。有时陪辇同游玄武阙，有时参驾于凤凰殿。如贾谊在宣室观受釐，如扬雄在直庐赋《长杨》。继而国家遭乱破碎不全。大盗侯景乱国，梁朝的光辉永远熄灭。我的经历如三危山路上直辔摧折，九折坂上平途断裂。告别故国时像荆轲在易水边告别一样悲凉，像苏武在秋风中诀别李陵一样痛苦，关山风月因思乡凄怆，陇头流水使肝肠断绝。龟诉北方之寒，鹤叹今年之雪，不寒而栗。百年时间，也不过弹指一挥间；年华已逝，老之将至。未雪坎坷耻辱的不幸厄运，又念如鸿雁远去滞留不返。不能如雀雉入淮海而变，不能如金丹于鼎中九转。不是暴腮点额于龙门，以身殉节；而是骐骥负车悲鸣马坂，屈辱难言。诚信天道呵，昏昧不仁；慨叹人们呵，不能了解我的苦衷。

文史链接

庾信于梁元帝承圣三年（554）奉命使北，西魏大军进犯江陵，江陵陷落，元帝遇害，庾信被迫羁留长安，在北朝度过了二十六个年头，虽位望通显，但对于屈仕魏、周，他常感面惭耳热，一方面怀着仕北的惭耻，另一方面又对其愿隐居而不可得，表示极大的遗憾。故写《小园赋》以寄慨，以乡关之思，发为哀怨之辞。

本文节选了其中四段，首段描述了他理想中的小园风光，园子虽小，犹得“欹侧八九丈，纵横数十步，榆柳三两行，梨桃百余树”，园中有繁茂的花草树木为伴，有无忧无虑的鸟儿为侣，但这些想象中的乐趣又何尝能够得到？自己如今头发已白，年貌俱衰，心同死灰，又有什么乐趣可言？第二段再写小园景物，其中有池鱼、修竹，花草丛生，果树繁多，以至落叶狂花，纷飞乱舞。第三段以吴质和崔骃的不得志喻己，复以庄舄的病中作越吟，喻己之恒念故国梁朝。第四段则以倒叙之法，插入往事的回忆，由此转笔写梁末的动乱，壮年遭逢世乱，流离而成暮齿，命运不济，注定不能返回故土，屈节仕北，其局已定，此辱难洗，一切都是多么渺茫啊！在深极悲痛之中，结束全篇。

庾信六十七岁以疾去职，六十九岁辞世，一生未曾隐居。此赋所写的小园光景，实为虚拟想象中的境界，莫作真实的赋景读。从谋篇看，前半篇俱从小园落想，后半篇以乡关之思，发哀怨之辞，风格沉郁悲凉。写景言情，几乎全借重典故。琐陈缕述，反复述说，悲感淋漓，体现庾信穷途一恸的心情。

思考讨论

本赋哪些地方表现了作者的乡土之思和羁宦北国的悲愤之情？

第二章 诗 歌

饮马长城窟行

乐府民歌

青青河畔草，绵绵思远道[1]。远道不可思[2]，宿昔梦见之[3]。梦见在我傍，忽觉在他乡。他乡各异县，展转不相见[4]。枯桑知天风，海水知天寒[5]。入门各自媚[6]，谁肯相为言[7]！客从远方来，遗我双鲤鱼[8]。呼儿烹鲤鱼[9]，中有尺素书[10]。长跪读素书[11]，书中竟何如？上言加餐食[12]，下言长相忆[13]。

注释

[1]绵绵:双关状词,指思绪细微、悠长。　[2]远道不可思:这是句反话,意思是人在远方,相思徒劳无益,所以“不可思”。[3]宿昔:昨夜。昔,通“夕”。　[4]展转:亦作“辗转”,不定。这里是说,他乡作客的人行踪不定。也有人认为是反复的意思,指自己反复思量。　[5]枯桑知天风,海水知天寒:无叶的枯桑也能感觉到风的吹动,海水虽然不冻,也能知道天气的寒冷。比喻那远方的人纵然感情淡薄也应该知道我的孤凄、我的想念。这是民歌中常用的比兴手法。　[6]媚:欢悦。　[7]谁肯相为言:有谁肯为我捎个信儿呢?言,问讯。译作“谁肯来安慰我呢”也通。[8]双鲤鱼:放书信的函,用两块木板做成,一底一盖,刻成鱼的形状。　[9]烹鲤鱼:指打开书函,这样说是为了用语生动。[10]尺素书:即书简。素,生绢,古人在上面写字。　[11]长跪:伸直了腰跪着。古人席地而坐,两膝着地,坐在脚后跟上。长跪以示恭敬。　[12]上言:前边说。　[13]下言:后边说。

赏析

这是一首描写妻子思念充当远戍征夫的丈夫,怨其日久不归的爱情诗。诗人细致地描述了思妇苦楚的心情和迫切的盼望。诗中多处运用了比兴和顶真(也叫“联珠格”,即以上一句句末之词用于下一句的句首)的修辞手法,充分显示出民间诗歌的风格特点。

“青青”二句,诗人运用了比兴的手法,草色青青,连绵不绝延伸向远方,而妻子对于征人的思念,也正如这绵延不绝的青草一样,深切而悠长。起首二句可谓开宗明义,含蓄地表达了对于征夫既深且长的思恋。“远道”二句,表现了这份思绪的无可奈何。不管妻子对于丈夫是如何的思念,征人都是无法归乡的,如若能够在梦中得以相见，便是极大的慰藉了。“梦见”二句紧接上两句，写的是梦醒之后，再次意识到思念的人不在身旁而在异乡。在梦境与现实的对比之下，思恋之情更加溢于言表。“他乡”二句，进一步描摹了思恋之煎熬。亲人同自己天各一方，不得相见，于是自己辗转反侧，夜不能寐。“枯桑”二句，以桑海作比，从丈夫的角度来展现思妇的孤苦心境：枯桑尽管没有叶子，但也不会感觉不到风的吹拂，海水尽管不结冰，但也不会感觉不到天的寒冷。纵使丈夫感情淡薄，也不至于想不到我的孤独凄苦，也不至于不能体恤我的这份思念之情吧！“入门”二句，以别家的团聚来反衬自己的孤寂凄凉。别家的征人远道归来，全家欢聚团圆，谁又肯和自己说上几句话以宽慰自己的孤独心境呢？

从“青青”句开始，到“谁肯”句为止，这十二句是这首诗的第一部分，着重描写了妇人对于远征丈夫的绵绵思念。前八句运用了顶真的修辞手法，在语势上给人以首尾衔接、连绵不绝之感，正好与思念之情的连绵不绝相吻合，收到了相得益彰的效果。

从“呼儿”句到诗尾，是诗的第二部分，表现了收读征人来信后的情状和心愫。远方的来客捎来了丈夫的书信，带给妻子极大的欣喜。她以敬重的心情长跪拜读，然而却只读到了叮嘱加餐，彼此思念的只言片语。妻子仍然不知道远征的丈夫何时才能归来，只怕征夫自己也不知何时能停息战乱，解甲归乡。因此，来信虽然带来了短暂的喜悦，却又使妻子陷入更深的愁思之中。全诗所展现的思念之情更添凄苦无奈。

西洲曲

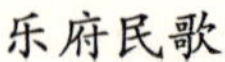

忆梅下西洲[1]，折梅寄江北。单衫杏子红，双鬓鸦雏色[2]。西洲在何处？两桨桥头渡。日暮伯劳飞[3]，风吹乌臼树[4]。树下即门前，门中露翠钿[5]。开门郎不至，出门采红莲。采莲南塘秋，莲花过人头。低头弄莲子，莲子青如水。置莲怀袖中，莲心彻底红[6]。忆郎郎不至，仰首望飞鸿[7]。鸿飞满西洲，望郎上青楼[8]。楼高望不见，尽日栏杆头。栏杆十二曲，垂手明如玉。卷帘天自高，海水摇空绿[9]。海水梦悠悠，君愁我亦愁。南风知我意，吹梦到西洲[10]。

注释

[1]下：往。西洲：地名，未详所在。当在女子住处附近。[2]鸦雏色：像小乌鸦一样的颜色，言其乌黑发亮。[3]伯劳：鸣禽，仲夏始鸣。好单栖。这里一方面用来表示仲夏的季节，一方面也暗喻女子孤单的处境。[4]乌臼树：一说乌桕树。[5]翠钿：用翠玉做成或镶嵌的首饰。[6]莲心：和“怜心”双关，就是爱怜之心。彻底红：就是红得通透，隐喻爱怜之深。[7]望飞鸿：双关，望书信的意思，因古人有鸿雁传书的故事。

[8]青楼：以青色涂饰之楼，为古代女子居处的通称。 [9]卷帘天自高，海水摇空绿：承“楼高望不见，尽日栏杆头”而来。忆郎不至，则登楼而望，然而楼虽然高，却仍然望不见，卷帘所见，唯有碧天自高,海水空自摇绿而已。海水即指江水。 [10]“海水”四句:终日栏杆独凭，唯见海水之悠悠，就连梦境亦如海水之悠悠，于是从我之愁推想到对方之愁亦必如此，因此唯有祈望南风把梦境中的对方吹向西洲，使我能在梦中与所爱之人会面。

赏析

这首诗以不同季节的风物（“折梅”、“伯劳”、“莲花”、“莲子”、“鸿雁”）作喻，细致入微地描写了一个女子对所爱男子的深长思念。整首诗格调清新，音节流畅，语言婉转动人，呈现出成熟的艺术技巧。

诗的起首二句“忆梅下西洲，折梅寄江北”，展现了一幅少女折梅传情的画面。少女徜徉在西洲的梅林之中，心中想念的是自己的情郎，情之所至，无以排遣，只能折一枝梅花聊寄相思之情。“单衫杏子红，双鬓鸦雏色”，这两句描写了主人公的外貌。诗人没有铺陈式地赞美女子的美貌，而是另辟蹊径，只写女孩子杏红色的单衫和乌黑的发鬓，然而只这两处着墨就足以表现出少女的纯真可爱之态。接下来，诗人点明了西洲的方位。“西洲在何处？两桨桥头渡”，这个满载着女子爱情回忆的地方离得并不远，可是女子所思念的那位情郎却久已未见，这种近在咫尺而不可得的境况只会让女子的思念之情更为迫切。“日暮”四句，写的是仲夏时节，乌桕树上单栖的伯劳鸟勾起了少女的相思之情，可是她苦苦等待，也没有望见情郎的踪影。等不到情郎，少女决定出门采莲以排遣相思之苦。于是，“采莲”六句描绘了一幅清新动人的采莲图。“采莲南塘秋，莲花过人头”，秋天满塘的莲子都成熟了，正等待着人

们采撷。少女随手采摘，却无心欣赏手中丰美的莲子，她的心还是沉浸在相思之中。“低头弄莲子，莲子青如水。置莲怀袖中，莲心彻底红”，诗人使用了双关的手法，“莲子”乃是“怜子”，“莲心”乃是“怜心”，巧妙地表达了少女对于情郎的一往情深。“忆郎郎不至，仰首望飞鸿”，少女抬眼望天，仿佛在期待天上的鸿雁能带来情郎的书信。“鸿飞满西洲，望郎上青楼”，平地望不到，她又登楼望远，可是只见鸿雁满洲，不见书信踪影。虽然渺无音讯，但女子仍然痴痴等待，“楼高望不见，尽日栏杆头。栏杆十二曲，垂手明如玉”，她望穿秋水，倚遍栏杆，怎奈“卷帘天自高，海水摇空绿”，卷帘所见，唯有碧天自高，海水空自摇绿而已。“海水”四句，以梦作结，把重逢的希望寄托在虚幻的梦境之中，再次渲染了这份思念的浓烈与绵远。

思考讨论

这两首诗都是怀人传情之作，请仔细品味，谈谈乐府民歌中情感表达的特色所在。

行行重行行

古诗十九首

行行重行行[1]，与君生别离[2]。相去万余里[3]，各在天一涯[4]；道路阻且长[5]，会面安可知？胡马依北风，越鸟巢南枝[6]。相去日已远[7]，衣带日已

缓[8]；浮云蔽白日，游子不顾返[9]。思君令人老[10]，岁月忽已晚[11]。弃捐勿复道，努力加餐饭[12]！

注释

[1]“行行”句：是说行而不止。以离去者行之不已，强调路途遥远，忧伤寓于其中。重（chóng），又。 [2]生别离：是“生离死别”的意思。屈原《九歌·大司命》：“悲莫悲兮生别离。” [3]相去：相距，相离。 [4]天一涯：天一方。 [5]阻：艰险。 [6]“胡马”二句：北地所产的马依恋北风，南方所产的鸟巢于南枝。比喻不忘本，暗示物尚有情，何况于人。胡马，北方所产的马。越鸟，南方所产的鸟。 [7]已：同“以”。远：久。 [8]衣带日已缓：人因相思而躯体一天天消瘦，因腰身瘦损而衣带显得宽松。缓，宽松。 [9]顾：念。 [10]老：并非实指年龄，而指消瘦的体貌和忧伤的心情，是说身心憔悴，好像衰老了。 [11]岁月忽已晚：指秋冬之季岁月无多的时候，意指不知不觉又岁暮了。 [12]“弃捐”二句：意思是说这些都丢开不必再说了，只希望你在外多吃饭保重身体。弃捐，抛弃。

赏析

这首诗写的是思妇对于远行游子的思念之情。本诗模仿了民歌回环复沓、反复咏叹的特色，巧妙地运用了比兴手法，语言浅近自然，耐人回味，在平实之中蕴含了深刻的感情，堪称《古诗十九首》中的代表作品。

首句“行行重行行”，运用叠字表现出了游子愈走愈远，往而不返的情景。随着丈夫的远去，妻子的思念也被带向了远方，这

就为整首诗奠定了离愁别恨的基调。第二句“与君生别离”，用屈原《九歌·大司命》中“悲莫悲兮生别离”的语意，点明主旨，极写悲痛莫过于生离。“相去”四句，写夫妻两地相隔遥远，相见无期。“道路阻且长”中的“阻”字，不仅指路途万里，也指人生际遇的种种阻隔。正是在这双重阻隔之下，才会有“会面安可知”的悲叹。“生别离”的哀伤，至此达到顶点。接下来，诗人另起比兴，“胡马依北风，越鸟巢南枝”，说的是胡马南来，仍依恋北风，越鸟北去，仍筑巢于南向的树枝。鸟兽尚且眷恋故土，何况是远行在外的游子？诗人用“比兴”代替抒情，设想丈夫理应怀念家乡，更加渲染了妻子的思念之情。“相去日已远，衣带日已缓”，化用汉乐府《古歌》：“离家日趋远，衣带日趋缓”，用最平淡的字眼，写出了思念之情的伤身蚀骨。至此，诗人反复咏叹，回环复沓，充分表现了离别的痛苦和思念的绵长。

“浮云”二句，则是写妻子因思念而产生的猜疑和埋怨。夫妻相隔万里，音讯不通，妻子不知道丈夫为何不归，于是猜想是不是丈夫在外心有所惑。思妇的怨意，其实是对丈夫深挚感情的流露。“思君”二句，承接“相去日已远，衣带日已缓”，重复表达了思念之苦，然而程度上有所加深，“令人老”比“衣带缓”更进了一层。时间迅速流逝，一年将尽，一生将尽，即使用尽一生的时间来等待，又能等到会面的那一天么？“思君令人老，岁月忽已晚”，虽只是平常话语，却道尽了相思的悲凉。

可是，诗人并没有停留在悲叹之中。“弃捐勿复道，努力加餐饭”二句，是忠厚的宽慰之语。思妇把所有的哀伤与怨语抛去不提，只劝慰远游的丈夫要努力加餐，保重身体。整首诗以温柔敦厚的劝慰之语作结，达到了旋律中的最强音。

西北有高楼

古诗十九首

西北有高楼，上与浮云齐。交疏结绮窗[1]，阿阁三重阶[2]。上有弦歌声，音响一何悲！谁能为此曲？无乃杞梁妻[3]。清商随风发[4]，中曲正徘徊[5]。一弹再三叹，慷慨有余哀[6]。不惜歌者苦，但伤知音稀[7]。愿为双鸿鹄，奋翅起高飞[8]。

注释

[1] 疏：镂刻。绮：有细花纹的绫，这里引申为花纹的意思。这句是说刻镂交错成雕花格子的窗。 [2] 阿（ē）阁：四面有檐的楼阁。三重阶：阶梯有三重。言阁之高。 [3] 无乃：莫非、大概的意思。杞梁妻：杞梁，名殖，字梁，春秋时期齐国的大夫，出征莒国，战死在莒国城下。其妻哭了十天，然后自杀。《琴曲》有《杞梁妻叹》，《琴操》说是杞梁妻作，《古今注》说是杞梁妻妹朝日所作。这两句是说，楼上弹唱的歌曲如此凄惋，莫非是杞梁妻所作的曲吗？也就是说其悲哀可比《杞梁妻叹》。 [4] 清商：乐曲名，声调清越，宜于表现哀怨的情绪。 [5] 中曲：乐曲的中段。徘徊：指乐曲旋律回环往复。 [6] 慷慨：不得志的心情。[7] 惜：痛。知音：识曲的人，借指知心的人。这两句是说，我难过的不只是歌者心有痛苦，而是她内心的痛苦没有人理解。[8] 鸿鹄：一作“鸣鹤”。高飞：远飞。末两句是说愿我们像一双鸿鹄，展翅高飞，表示出听者对于歌者的深切理解和同情。

赏析

这首诗所写的是高楼上的哀歌，引起了楼外人对歌者的同情和知音稀少的感慨。

全诗开头四句勾勒出了一座高耸入云，精致典雅的高楼。“西北”的方位给人以寒冷肃杀之感，从而为全诗渲染了萧索悲凉的气氛。在这高峻又华丽的楼阁之中，想必居住着一位高贵美丽的女子。然而从楼中传出的却是悲伤的弦歌声。“上有弦歌声，音响一何悲”，歌声从高处传来，更显飘渺空灵，如怨如慕，如泣如诉。听者感受到了歌声中的悲哀，已然与歌者产生了共鸣。于是，听者不由猜想：“谁能为此曲？无乃杞梁妻。”“无乃”二字透露出一种游移不定的语气，因为诗人并未看到楼上女子，而是听音识人，从那女子悲伤的歌声中想象她大概和杞梁妻一样有着悲惨的命运，处境孤苦无依。这一问一猜，使得气氛更加悲凉。“清商”四句，是对弦歌声的描写。乐声随风而来，缠绵悱恻。乐曲进行到中段，呜咽悲泣，百曲千折，萦绕徘徊。歌者“一弹再三叹，慷慨有余哀”，反复弹奏，哀叹不已。弦歌者本想以歌唱来遣忧，但是这哀婉缠绵的乐声却使人愁肠百结，悲慨丛生。这弦歌之声深深地打动了听者。“不惜歌者苦，但伤知音稀”，听者痛惜的还不是歌者心中的痛苦哀愁，而是这份痛苦哀愁无人能理解。羁旅中游子的孤独凄凉，与楼上女子的孤苦无依，正是同出一辙。“愿为双鸿鹄，奋翅起高飞”，作为游子的诗人，希望与知音一起，摆脱污浊的俗世，一起飞向理想的境界。这是听者的无限畅想，也寄托了对于楼中歌者的深切同情。

此诗按照听者的所见、所闻、所感逐一展开，最后以听者的畅想作结。构思新奇，变化有致。

思考讨论

补充阅读《古诗十九首》中的其他作品，体会《古诗十九首》的语言特色。

蒿里行

（东汉）曹操[1]

关东有义士[2]，兴兵讨群凶[3]。初期会盟津，乃心在咸阳[4]。军合力不齐，踌躇而雁行[5]。势利使人争，嗣还自相戕[6]。淮南弟称号，刻玺于北方。铠甲生虮虱，万姓以死亡。白骨露于野，千里无鸡鸣。生民百遗一，念之断人肠。

注释

[1] 曹操（155—220）：即魏武帝，字孟德，小名阿瞒，沛国谯县（今安徽亳州）人。东汉末年杰出的政治家、军事家、文学家、诗人。政治军事方面，曹操消灭了众多割据势力，统一了中国北方大部分区域，并实行屯田制等一系列政策恢复经济生产和社会秩序，奠定了曹魏立国的基础。文学方面，在曹操父子的推动下形成了以三曹（曹操、曹丕、曹植）为代表的建安文学，史称“建安风骨”，在文学史上留下了光辉的一笔。魏朝建立后，曹操被尊为“武皇帝”，庙号“太祖”。 [2] 义士：指袁绍兄弟，以及共同讨伐董卓的州郡首领。 [3] 兴兵：发动军队。汉献帝初平元年（190），关东群雄起兵讨董卓，推袁绍为盟主。讨群凶：指讨伐董卓及其爪牙。 [4] 期：希望。会盟津：也称孟津，在今河南孟县南。相传周武王起兵伐纣时，中途曾和联盟反纣的八百诸侯会合于此地。这里用“会盟津”代指各路讨董卓军队能同心协力。乃心：其心，他们的心。咸阳：秦的首都，在今陕西咸阳东。这

里是指董卓所控制的长安一带。初平元年二月，汉献帝被董卓要挟迁都长安。这两句是在说，本来期望会合群雄，像周武王伐纣那样吊民伐罪；初心是要直捣洛阳，像刘邦、项羽攻入咸阳。这两句都是用典，而非实叙。 [5] 雁行：鸿雁的行列，比喻诸军列阵后观望不前的样子。以上两句是说，各路会师后，在敌人面前却各怀鬼胎，一个个互相观望，畏缩不前。 [6] 嗣还（xuán）：其后不久。还，通“旋”。自相戕（qiāng）：指讨伐董卓的各路将领互相兼并。戕，残害。

赏析

《蒿里行》这首诗是以古题写时事，以董卓之乱为背景，反映了群雄各怀野心，争名逐利，给人民带来了巨大灾难的历史事实。

诗的头四句，表明了诗人对于关东各州郡联合起兵讨伐董卓这一行动的态度和立场。“义士”与“群凶”两个词意义相反，褒贬鲜明，表达了诗人对于董卓之流的批判和对于起义将领的赞同。“初期会盟津，乃心在咸阳”两句，运用了周武王在孟津会合诸侯共讨殷纣以及刘邦、项羽攻入咸阳推翻暴秦的典故，进一步说明了讨伐行动的目的和意义。然而，现实却违反了诗人原本的期望。“军合力不齐”六句，写出了各起义将领踟蹰观望、互相残杀、追名逐利的丑态。各路人马虽然形式上联合起来了，但是却各怀鬼胎，无法同心协力。“淮南弟称号”指的是建安二年（197），袁绍之弟袁术在寿春称帝；“刻玺于北方”则指初平二年（191）袁绍谋立刘虞为太子，刻作金印，但并未得逞。这两个典型事例充分揭示了起义将领们之所以“自相戕”的原因在于人人都想趁叛乱之机谋取皇位。军阀的权力斗争为百姓的生活带来了无穷无尽的灾难。“铠甲生虮虱，万姓以死亡”，由于连年征战，将士们长久不得解甲，生活困苦，百姓们则死伤无数。“白骨露于野，千里无鸡鸣。生民百遗一，念之断人肠”，淋漓尽致地表现了因战乱而起的惊心浩劫，表达了诗人伤时悯乱的凄楚情怀。

这首诗真实地反映了汉末的政治、社会现实，反映了人民所经受的灾难浩劫，表达了诗人对于时局的悲慨以及对于百姓的同情。

短歌行

（东汉）曹操

对酒当歌，人生几何？譬如朝露，去日苦多。慨当以慷，忧思难忘。何以解忧？惟有杜康。青青子衿，悠悠我心[1]。但为君故，沉吟至今。呦呦鹿鸣，食野之苹。我有嘉宾，鼓瑟吹笙[2]。明明如月，何时可掇[3]？忧从中来，不可断绝。越陌度阡，枉用相存。契阔谈宴，心念旧恩。月明星稀，乌鹊南飞。绕树三匝[4]，何枝可依。山不厌高，海不厌深。周公吐哺，天下归心。

注释

[1] 青青子衿（jīn）：青衿是周代学子的服装。本句出自《诗经·子衿》，表示对贤才的思慕。　[2]“呦呦”二句：出自《诗经·小雅·鹿鸣》，借来表示招纳贤才的意思。　[3] 掇（duō）：拾取，摘取。一作“辍”，停止。“不可掇”或“不可辍”，都是比喻忧思不可断绝。　[4] 匝（zā）：周，圈。

赏析

这首诗大约作于曹操赤壁之战落败后，表达了诗人求贤若渴的心情和统一天下的雄心。通过运用丰富的艺术手法，或叙事，或抒情，或比喻，或用典，诗人淋漓尽致地表达了自己回旋起伏的心绪和复杂万端的感慨，感情丰沛，深沉激昂。

从“对酒当歌”到“惟有杜康”八句，表达了诗人对于生命短暂和人生无常的“忧思”。诗人戎马半生，霸业未竟，反而遭遇了赤壁之战的惨败。正是在这样的人生际遇中，诗人产生了“人生几何”的感伤与悲慨。“譬如朝露，去日苦多”，人生就像早晨的露水，太阳一出就晒干了。这份对于“无常”的哀叹，其实是千古以来人们所共有的。“忧思”既然“难忘”，诗人就只有借酒消愁，用酒来冲淡人生苦短的哀愁。不过，曹操并没有沉浸在“人生几何”的忧伤情绪中，“青青”八句，表达了他求贤若渴以成就事业的远大抱负。“青青子衿，悠悠我心。但为君故，沉吟至今”，写出了诗人渴求贤才而不得的惆怅忧虑。“呦呦鹿鸣，食野之苹。我有嘉宾，鼓瑟吹笙”，则表达了诗人得到人才之后的欢欣鼓舞。“明明如月”四句，诗人感慨那如朗月一样光辉的事业不知何时才能完成，并由此产生了第二层“忧思”，这是英雄对于“事业未竟”的哀叹。“越陌度阡”四句，写的是贤士旧友归来，两情契合，在一处谈心宴饮，重温旧谊的惬意场景。“月明星稀”四句，比喻人才流离失所，无处投奔。面对这种情况，曹操表明了自己的胸怀乃是“山不厌高，海不厌深。周公吐哺，天下归心”。他以礼贤下士的周公自诩，号召天下的贤才都加入自己的麾下，以实现“天下归心”，求贤建业的抱负。

思考讨论

再多读几首曹操的诗作，试总结曹操的诗风。

七哀诗第一

（东汉）王粲

西京乱无象[1]，豺虎方遘患[2]。复弃中国去[3]，委身适荆蛮[4]。亲戚对我悲，朋友相追攀[5]。出门无所见，白骨蔽平原。路有饥妇人，抱子弃草间。顾闻号泣声，挥涕独不还，“未知身死处，何能两相完[6]”？驱马弃之去，不忍听此言。南登霸陵岸，回首望长安。悟彼《下泉》人，喟然伤心肝[7]。

注释

[1]西京：指长安，西汉时的国都。东汉建都在洛阳，洛阳称为东都。董卓之乱后，汉献帝又被董卓由洛阳迁到了长安。无象：无章法，无体统，即社会秩序紊乱。 [2]豺虎：指董卓的部将李傕、郭汜等。遘（gòu）患：给人民造成灾难。遘，通“构”，造。[3]中国：中原地区。古代北方黄河流域长安、洛阳一带是国都所在地，故称中国。 [4] 委身：置身。荆蛮：即指荆州。荆州是古楚国地，楚国的本号就叫荆。周人称南方的民族为蛮，楚在

南方，所以被称为荆蛮。这里为了押韵，沿用旧称。荆州当时未遭战乱，逃难到那里去的人很多。荆州刺史刘表曾从王粲的祖父王畅受学，与王氏是世交，所以王粲去投奔他。 [5] 追攀：指攀车依恋，表示惜别之意。 [6] 完：保全。以上两句是作者听到的那个弃子的妇人所说的话。 [7] 霸陵：汉文帝刘恒的陵墓，在长安以东灞水之上。岸：高地。《下泉》:《诗经·曹风》中的篇名。《毛诗序》说:"《下泉》思治也,曹人……思明王贤伯也。"喟（kuì）然：伤心的样子。这首诗最后四句的意思是，面对着汉文帝的陵墓，对比着当前的离乱现实，就更加伤心地领悟到《下泉》诗作者思念明主贤臣的那种急切心情了。

赏析

王粲的《七哀诗》现存三首，这首诗是其中的第一首，也是内容最深刻最具感染力的一首。诗中描写了王粲避乱荆州途中所见的悲惨景象，反映了战乱现实。

"西京"四句，交代了动荡混乱的时代背景以及诗人的个人际遇。东汉末年，董卓作乱被杀后，李傕、郭汜攻入长安，焚杀掠劫，将长安夷为空城。又适逢关中大旱，饿殍遍野，白骨堆积如山。正是在这样的大背景下，王粲奔赴荆州投奔世交刘表。国破家亡之痛，世态炎凉之慨交织在一起，赋予了这首诗沉痛悲慨的感情内涵。"亲戚对我悲，朋友相追攀"，这两句展现了在战乱中与朋友亲人依依离别的场面。在烽火纷争之中，一次生离往往会成为死别，因此这份送别的痛苦更加悲切。"出门无所见，白骨蔽平原"两句，勾勒出了一幅生灵涂炭的悲剧画面。语言看似平淡无奇，但一个"蔽"字，写尽了横尸遍野、民不聊生的恐怖与凄惨。如果说这两句是从俯瞰的视角来展现灾情的话，那么接下来

"路有"六句则把焦点集中到了一对逃难的母子身上。这是一位饥饿虚弱的妇人，她正把自己的孩子丢弃在荒草丛中。孩子号啕大哭，但是母亲却头也不回地狠心离开。面对别人的指责，妇人回答："我连自己会死在哪里都不知道，又怎么能保全我的孩子呢？"面对这样的人间悲剧，诗人再也不忍卒听，赶快驱马离开了。诗人登临一代明君汉文帝的陵墓，回首遥望"豺虎"纷纷的故都长安，终于领悟到了《下泉》的作者当乱世而思贤君的迫切心情。诗的末尾两句用意颇深，既表达了诗人对于和平安定生活的向往，寄托了诗人对于百姓的同情，更隐含了诗人对于乱世之中的弄权者的谴责与批判。

七哀诗第三

（东汉）王粲

边城使心悲，昔吾亲更之[1]。冰雪截肌肤[2]，风飘无止期。百里不见人，草木谁当迟[3]？登城望亭隧[4]，翩翩飞戍旗[5]。行者不顾返，出门与家辞。子弟多俘虏，哭泣无已时。天下尽乐土，何为久留兹[6]？蓼虫不知辛[7]，去来勿与谘[8]。

注释

[1]更：经历。 [2]截：割。 [3]迟：同"夷"。这里是治理的意思。 [4]亭：边塞上用以瞭望和防守敌人的岗楼。隧：通"燧"，敌人侵犯时用柴或狼粪于亭上燃烧报警，白昼烧烟

叫燧，夜晚举火叫烽。 [5]戍旗：防守所在地的旗。 [6]兹：此地。 [7]蓼（liǎo）：一种味辛辣的植物名。这句用蓼虫的习惯于辛辣比喻边地人民习惯于这种悲惨生活。 [8]去来：离开边城。来，语气词。谘：商量。

赏析

这首诗是七哀诗的第三首，描写了在苦寒的边地，将士与人民苦于征战的情景。首句“边城使心悲”，以“心悲”点明了整首诗的情感基调。“昔吾亲更之”，说的是诗人以前亲身经历过这样艰苦的生活。如此一来，眼前的艰难困苦与记忆中的惨痛遭遇重叠在了一起，加重了作者的“心悲”。“冰雪”八句，描绘了边地的苦寒与荒凉。“冰雪截肌肤，风飘无止期”，割人皮肤的冰雪和怒号不止的狂风体现了边地的极寒。“百里不见人，草木谁当迟？登城望亭隧，翩翩飞戍旗”，草木丛生的边地人迹罕至，登上城楼，也只望得到翩飞的戍旗烽烟，边地的荒凉可见一斑。在这样的环境中，守城兵士的生活状态又是如何呢？“行者不顾返，出门与家辞。子弟多俘虏，哭泣无已时”，士卒们已经被长期的作战生活折磨得疲惫而麻木，息战归家早已成为不敢期待的奢望。在被俘虏、被杀戮的命运面前，兵士们只有绝望地哭泣不已。边地荒凉凄惨的人情物态，使得诗人的“心悲”一层层地加重，终于，化作了一句充满慨叹的反问：“天下尽乐土，何为久留兹？”天下之大，总有供人安居的乐土，为什么要淹留在这苦寒之地呢？但是，困顿于患难的兵卒百姓，就犹如蓼虫一样盲目不察，被残酷的生活折磨得失去了抗争的力量。他们不知道天下别有乐土，更没有勇气与力量去“适彼乐土”。这种盲目的生活态度，更加令人心生悲叹。

思考讨论

王粲被称为“七子之冠冕”。以这两首诗为例，说说他的诗歌艺术特色。

七哀[1]

（三国·魏）曹植

明月照高楼，流光正徘徊。上有愁思妇，悲叹有余哀。借问叹者谁？云是宕子妻[2]。君行逾十年，孤妾常独栖。君若清路尘，妾若浊水泥。浮沉各异势[3]，会合何时谐？愿为西南风，长逝入君怀[4]。君怀良不开，贱妾当何依？

注释

[1]七哀:该篇是闺怨诗,也可能借此讽君。　[2]宕子:游子。宕，通“荡”。　[3]浮:指清路尘。沉:指浊水泥，比喻夫妇（或兄弟骨肉）本是一体，如今地位（势）不同了。　[4]逝：往。

赏析

这是一首闺怨诗，表达了妇人对于丈夫的思念，以及被冷落遗弃的哀怨苦闷。诗的开头写景：“明月照高楼，流光正徘徊。”

皎洁的明月悬在天上，照耀着高楼，月移影动，徘徊不定，给人以飘忽惆怅之感。在这样万籁俱寂的月夜里，一个少妇独坐高楼，长叹不已。“上有愁思妇，悲叹有余哀”两句，连用了“愁”、“悲”、“哀”三字，刻画出了一个愁肠百结的思妇形象，营造了凄清幽怨的气氛。这样一个“愁思妇”，她到底是谁呢？“借问叹者谁？云是宕子妻”，点明了少妇的身份，原来她是远行游子的妻子。“君行”以下是以少妇的口吻，抒发了对于远行丈夫的思念与哀怨。“君行逾十年，孤妾常独栖”，“逾十年”说明夫妻二人分离之久，“孤”、“独”二字则体现了妻子的孤单与寂寞。读至此，读者就不难理解为何少妇会独坐高楼、悲叹不已了。“君若清路尘，妾若浊水泥。浮沉各异势，会合何时谐”，这四句中包含了两个比喻，把游子比作路上飞扬的尘土，把少妇自己比作水中沉淀的污泥。尘与泥本是一物，然而，“浮”起来的就是“清尘”，“沉”下去的就是“浊泥”。夫妻本是一体，可是如今地位不同了，又如何能相聚呢？但是，妻子又是如此地渴望与丈夫团聚，“愿为西南风，长逝入君怀”，我愿化作一阵好风飞向你，投入你的怀抱。这个美丽而大胆的畅想，生动地展现了少妇对于丈夫的深深思念和坚贞勇敢的精神。怎奈游子薄情，“君怀良不开，贱妾当何依”，你的怀抱已经不会为我打开了，又叫我这个卑贱的女子去依靠谁呢？女子被遗弃的命运和孤苦无依的遭遇昭然若揭，引发了人们深深地同情与悲悯。

曹植的这首闺怨诗是有所寄托的，他其实是以“弃妇”自喻，抒发了自己求试不能，不得任用的抑郁悲怨的心情。

白马篇

（三国·魏）曹植

白马饰金羁[1]，连翩西北驰[2]。借问谁家子，幽并游侠儿[3]。少小去乡邑，扬声沙漠垂[4]。宿昔秉良弓[5]，楛矢何参差[6]。控弦破左的[7]，右发摧月支[8]。仰手接飞猱[9]，俯身散马蹄。狡捷过猴猿，勇剽若豹螭[10]。边城多警急，胡虏数迁移[11]。羽檄从北来[12]，厉马登高堤[13]。长驱蹈匈奴[14]，左顾凌鲜卑[15]。弃身锋刃端，性命安可怀[16]？父母且不顾，何言子与妻！名编壮士籍，不得中顾私[17]。捐躯赴国难，视死忽如归。

注释

[1]羁：马笼头。 [2]连翩：接连不断，这里形容轻捷迅急的样子。魏初西北方为匈奴、鲜卑等少数民族居住区，驰向西北即驰向边疆战场。 [3]幽并：幽州和并州，即今河北、山西和陕西的一部分地区。游侠儿：重义轻生的青年男子。 [4]扬：传扬。垂：通“陲”，边远的地区。 [5]宿昔：昔时，往日。秉：操持。 [6]楛（hù）矢：用楛木做箭杆的箭。何：多么。 [7]控：引，拉开。左的：左方的射击目标。 [8]摧：毁坏。 [9]接：射箭的意思。猱（náo）：一种猿类，善于攀缘，上下如飞。 [10]剽：行动轻捷。螭（chī）：传说中的猛兽，形状如龙而色黄。

[11] 虏：胡虏，古时对北方少数民族的蔑称。数：屡次。
[12] 羽檄：檄是军事方面用于征召的文书，插上羽毛表示军情紧急，所以叫羽檄。　[13] 厉马：奋马，策马。　[14] 蹈：奔赴。
[15] 凌：践踏之意。　[16] 怀：顾惜。　[17] 中：心中。

赏析

曹植在《白马篇》中塑造了一位舍身为国、英勇赴敌的游侠少年形象，字里行间激荡着慷慨无畏的爱国热情，色彩明朗，基调昂扬，非常具有艺术感染力。同时，也表达了诗人渴望建功立业、效力天下的理想抱负。

诗的起调即气势不凡，“白马饰金羁，连翩西北驰”，写的是游侠少年跃马飞驰，向着西北边塞绝尘而去。白马威武神骏，饰以“金羁”，身姿矫健，“连翩”奔驰，这骏马的超凡之姿正衬托出了游侠儿的英姿飒爽。“借问”以下六句，交代了游侠儿的身世经历。幽、并两地自古多出英雄豪杰，游侠儿出身于此，那股英气是与生俱来的。他小小年纪就练就了高强的武艺和精准的箭法，守卫边疆，扬名边陲。“控弦”四句，展现了游侠少年的英姿。“破”、“摧”、“接”、“散”四个动词一气呵成，精准利落地描摹了少年箭无虚发，矫健敏捷的身手。“狡捷过猴猿，勇剽若豹螭”，运用了比喻的手法，说的是游侠儿机智敏捷胜过猴猿，勇猛剽悍如同豹螭，再次突出了游侠儿武艺精熟，顶天立地的气概。游侠儿最光荣的使命，是在危急的时刻保家卫国。于是，诗人笔锋一转，“边城多警急，胡虏数迁移”，边境告急，胡虏入侵，在这样的国难之中，方显游侠儿的忠勇无畏。“长驱蹈匈奴，左顾凌鲜卑”，“长驱”写出了游侠儿飞边救国之迅疾，“左顾”表现其叱咤战场之胆略，“蹈”、“凌”二字则写尽了幽并少年所向披靡的神威。“弃身”以下八句，写出了游侠儿不畏艰险，为国捐躯的壮阔情怀。一个“弃”字，写出了少年舍身忘家，凛然大义的壮举，一个“赴”字，道尽了少年急国之难的豪情与决心。“弃”与“赴”的对比，更加鲜明地凸显了游侠儿视死如归，挺身卫国的爱国精神。诗人塑造了游侠儿这一光彩动人的豪侠形象，可能也是自况，寄寓了诗人立功效世的胸怀与抱负。

思考讨论

曹植的诗歌创作分为前后两个时期，前期的诗词采飞扬，昂扬勃发；后期的诗则哀怨沉郁，以感慨牢骚为主。补充阅读《名都篇》与《赠白马王彪》，体会这种变化。

咏怀诗第一

（三国·魏）阮籍[1]

夜中不能寐[2]，起坐弹鸣琴。薄帷鉴明月[3]，清风吹我襟。孤鸿号外野[4]，翔鸟鸣北林[5]。徘徊将何见？忧思独伤心。

注释

[1]阮籍（210—263）：三国魏文学家和思想家。字嗣宗，陈留尉氏（今河南开封尉氏）人，是“建安七子”之一阮瑀的儿子。曾为步兵校尉，世称阮步兵。为人志气宏放，博览群书，尤好老子和庄子的哲学。爱饮酒，能长啸，善弹琴。文学艺术才能超群。与嵇康齐名，为“竹林七贤”之一。蔑视礼教，政治上则采谨慎避祸的态度，与司马氏多所抵牾。 [2]夜中：中夜，半夜。[3]薄帷鉴明月：明亮的月光透过薄薄的帐幔照了进来。鉴，照。薄帷，指轻纱帷帐。 [4]号：鸣叫，哀号。 [5]翔鸟：飞翔盘旋着的鸟。鸟在夜里飞翔正因为月明。北林：语出《诗经·秦风·晨风》：“鴥（yù）彼晨风，郁彼北林。未见君子，忧心钦钦。”

赏析

阮籍有《咏怀诗》八十二首，这些诗都是有感于现实而发，或批判，或嘲讽，或表达对世态丑恶的幽愤，或抒发内心的孤寂与幻灭……语言曲折隐晦，而感情深邃浓烈，可谓是正始诗歌的代表作品，也标志着五言诗完全脱离了汉乐府民歌，成为了独立的五言诗体。

这首诗是《咏怀诗》的第一首，表达了诗人夜不能寐，苦闷彷徨之情。诗的开篇“夜中不能寐，起坐弹鸣琴”，刻画了一个忧思满怀、夜不能眠的人物形象，为整首诗定下了彷徨抑郁的基调。“薄帷”四句情景交融。月光皎洁，清风徐徐，这是一个清风朗月的美丽夜晚，然而诗人起坐弹琴，不为赏景却为遣忧。这正是以乐景来衬哀愁。“孤鸿号野外，翔鸟鸣北林”，孤鸿在野外哀号，翔鸟在北林悲鸣，其声加重了凄清愁苦的气氛。最后两句，“徘徊将何见？忧思独伤心”，“徘徊”既指孤鸿、翔鸟，更指诗人自己。

鸟与人都徘徊不寐，能看到些什么呢？不过都是叫人忧伤的景象罢了。一个“独伤心”，与诗首那个起坐弹琴的诗人形象遥相呼应，表现了作者孤寂的处境和忧思百结的心绪。

咏怀诗第三十三

（三国·魏）阮籍

一日复一夕，一夕复一朝。颜色改平常，精神自损消。胸中怀汤火，变化故相招[1]。万事无穷极，知谋苦不饶[2]。但恐须臾间，魂气随风飘。终身履薄冰[3]，谁知我心焦。

注释

[1]“胸中”二句：由于胸中像是揣着开水和烈火一样难受，所以才引起了自己上述的颜色和精神的变化。　[2]“万事”二句：人间万事变化无穷，自己的知谋不多，无法应付。饶，富足。[3]履薄冰：在薄冰上行走，极言处境之危险。出自《诗经·小雅·小宛》：“战战兢兢，如履薄冰。”

赏析

这首诗抒发了诗人对于生命的忧思嗟叹。起首二句“一日复一夕，一夕复一朝”，是在悲叹生命的流逝，隐含了诗人一天一天度日如年的煎熬与痛苦。“颜色改平常，精神自损消”，容颜不断地憔悴，精神一天天地萎靡不振。“胸中怀汤火，变化故相招”，之所以诗人的身体与精神都在衰弱，在于他的内心经受着如沸如煮的痛苦。而这份痛苦又是因何而起呢？诗人没有直接给出答案，只是说“万事无穷极，知谋苦不饶。但恐须臾间，魂气随风飘”。天下万物变化无穷，诗人担心自己智谋不够，不能应付这复杂多变的形势，只怕犯了些许差错，顷刻之间就招来杀身之祸。结尾“终身履薄冰，谁知我心焦”，化用了《诗经·小雅·小宛》中“战战兢兢，如履薄冰”的诗句，再次表达了自己内心的恐慌忧惧与焦虑痛苦。自始至终，作者都是在抒怀而不言其他，然而，在曲折隐晦的语言之中，隐藏着诗人对于那个血腥残酷的时代的控诉。情之所至，发为诗语，因而使得整首诗格外凄恻动人。

思考讨论

试分析诗人的“悲愤哀怨，隐晦曲折”的艺术风格在诗中是如何体现的。

咏史第一

（西晋）左思[1]

弱冠弄柔翰[2]，卓荦观群书[3]。著论准《过秦》，作赋拟《子虚》[4]。边城苦鸣镝[5]，羽檄飞京都。虽非甲胄士[6]，畴昔览《穰苴》[7]。长啸激清风[8]，志若无东吴[9]。铅刀贵一割[10]，梦想骋良图[11]。左

眄澄江湘[12]，右盼定羌胡[13]。功成不受爵，长揖归田庐。

注释

[1]左思（约250—约305)：西晋时著名文学家。字太冲，齐国临淄（今属山东）人。官秘书郎。齐王（司马冏）命为记室督，不就，出身寒微，不好交游。《晋书》本传谓其构思十年，写成《三都赋》，“豪贵之家，竞相传写，洛阳为之纸贵”。其诗语言质朴，所作《咏史》诗八首，托古讽今，对门阀制度表示不满。原有集，已散佚，后人辑有《左太冲集》。 [2]弱冠：古代的男子二十岁行冠礼，表示成人，但体犹未壮，所以叫“弱冠”。柔翰：毛笔。这句是说二十岁就擅长写文章。 [3] 卓荦（luò)：超然特异。这句是说博览群书，才能卓异。 [4]过秦：即《过秦论》，汉贾谊所作。子虚：即《子虚赋》，汉司马相如所作。准、拟：作为法则。这两句是说写论文以《过秦论》为准则，作赋以《子虚赋》为典范。 [5]鸣镝（dí)：响箭，本是匈奴所制造，古时发射它作为战斗的信号。这句是说边疆苦于敌人的侵犯。 [6]甲胄士：战士。胄，头盔。 [7]畴昔：往时。穰苴（jū)：春秋时齐国人，姓田氏，官大司马，善治军。齐威王整理古司马军法，把穰苴的兵法附在书中，称为《司马穰苴兵法》。这里以“穰苴”二字作《司马穰苴兵法》的简称，用来指代兵书。这两句是说自己虽不是武人，却也读过兵书。 [8]长啸：表现胸中的豪气需要发泄。

[9]无东吴：不把东吴放在眼里。 [10]铅刀贵一割：《东观汉记》卷一引班超上疏曰：“臣乘圣汉威神，冀效铅刀一割之用。”铅质的刀迟钝，一割之后再难使用。用来比喻自己才能低劣。这句是说自

己的才能虽然如铅刀那样迟钝，但仍有一割之用。 [11] 骋：施展。良图：指为国立功，功成身退，即下文所写。 [12] 眄：斜视。澄江湘：指平定东吴。澄，澄清。江湘，长江。 [13] 羌胡：当时西北方的少数民族。

赏析

左思《咏史》诗共有八首，是借古人古事来抨击门阀制度的不合理，为寒门子弟鸣不平，同时抒发自己建功立业的胸怀抱负。诗的气势磅礴，笔力矫健。这首诗表达了诗人想要安定边疆，为国建功，但是不贪图富贵的人生理想。“弱冠”四句，是诗人在表现自己文才过人的优点。弱冠之年就擅长写文章，一个“弄”字，表明了诗人充分的自信。诗人作文以贾谊、司马相如的名作为标准，更加彰显了他的斐然文采。“边城”四句，是诗人在表现自己的军事才华。“虽非甲胄士，畴昔览《穰苴》”，虽然诗人只是一介书生，不是学武出身，但是也读过兵书，在边境告急的时刻，也有运筹帷幄、保家卫国的才华。诗人既有文武双全的才能，更不乏建功立业的豪情壮志。“长啸激清风，志若无东吴”，表现了他潇洒激昂的英气；“铅刀贵一割，梦想骋良图”，表达了他立志报国的决心；“左眄澄江湘，右盼定羌胡”，体现了他气吞山河、从容不迫的风度。然而，诗人满怀报国之志不是为了功成名就的封赏。“功成不受爵，长揖归田庐”，等到立下战功之后，诗人的愿望是解甲归田，继续平静悠然的田园生活。诗人抱负远大，而志趣更为淡泊高远。

杂 诗

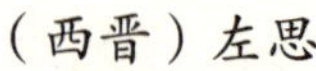

（西晋）左思

秋风何冽冽[1]，白露为朝霜[2]。柔条旦夕劲[3]，绿叶日夜黄[4]。明月出云崖[5]，皦皦流素光[6]。披轩临前庭[7]，嗷嗷晨雁翔[8]。高志局四海[9]，块然守空堂[10]。壮齿不恒居[11]，岁暮常慨慷[12]。

注释

[1] 冽冽：寒冷的样子。 [2] 露为朝霜：露凝结为霜。 [3] 柔条：柔弱的枝条。旦夕劲：日夜生长得越来越坚劲。 [4] 日夜黄：叶经霜而渐黄。 [5] 云崖：云际。 [6] 皦皦：明净的样子。流素光：月光。 [7] 披轩：开门。 [8] 嗷嗷：鸣声。 [9] 高志：崇高的志向。局四海：以四海之内为狭小而感到局促。 [10] 块然：孤独的样子。 [11] 壮齿：壮年。不恒居：不常驻。 [12] 慨慷：感伤之意。

赏析

《杂诗》是左思晚年所作。诗人晚年理想破灭之后，回顾一生，顿生悲凉慷慨之感。诗的语言质朴，凝练含蓄。开篇“秋风”四句描绘了时节的变化。“秋风何冽冽，白露为朝霜”，写出了秋天萧瑟冷寂的景色，渲染了悲秋的气氛。“柔条旦夕劲，绿叶日夜黄”，描写了物候的变化，柔条似乎在一夕之间就变得强韧了，绿叶又在一夜之中变得枯黄，人生又何尝不是这样，时光流逝而青春易老。

面对这样的荣枯之变，诗人顿生感慨，愁思满怀，以至于一夜不寐。“明月”四句正是在描写诗人整夜不眠，直至黎明所见到的景象。明月初出，皎洁明亮，诗人忧思郁结，枯坐整晚，清晨开门，望见了晨雁高飞。“高志”四句是诗人直抒胸臆。“高志局四海，块然守空堂”，诗人曾经抱有比四海还要远大的志向，然而残酷的现实却使得他壮志难酬，落得终老空室的下场。“局四海”与“守空堂”对比鲜明，愈发表现出理想破灭的无奈与悲哀。“壮齿不恒居，岁暮常慨慷”，青壮之时为了理想奔波不已，却一事无成，到垂垂老矣空有无限感慨。诗人回首一生沉浮，郁愤感慨之情与开篇的悲秋之意相融合，使得全诗的感情更为厚重沉痛。

思考讨论

钟嵘《诗品》把左思列在上品，认为他是一个有风骨的诗人。再多读几首左思的诗，感受他的风骨之所在。

归园田居

（东晋）陶渊明[1]

少无适俗韵[2]，性本爱丘山。误落尘网中[3]，一去三十年[4]。羁鸟恋旧林，池鱼思故渊[5]。开荒南野际[6]，守拙归园田[7]。方宅十余亩，草屋八九间。榆柳荫后檐[8]，桃李罗堂前[9]。暧暧远人村[10]，依依墟里烟[11]。狗吠深巷中，鸡鸣桑树颠。户庭无尘杂[12]，虚室有余闲[13]。久在樊笼里，复得返自然[14]。

注释

[1] 陶渊明（约 365—427）：东晋浔阳柴桑人（今江西九江人），名陶潜，字元亮，号五柳先生，谥号靖节先生，入刘宋后改名潜。东晋末期南朝宋初期诗人、辞赋家、散文家。出身于破落仕宦家庭，曾做过几年小官，后辞官回家，从此隐居，被称为“平淡之宗”，是田园诗派的开创者。田园生活是陶渊明诗的主要题材。　[2] 适俗：适应世俗。韵：性情。　[3] 尘网：尘世的罗网，指仕途。意谓仕途有如罗网一样，使人不得自由。　[4] 三十年：有人认为应为“十三年”，从陶渊明初仕为江州祭酒，到辞彭泽令归田，恰好是十三个年头。　[5] 羁鸟：被束缚于笼中之鸟。池鱼：被养于池中之鱼。这两句以羁鸟池鱼比自己过去仕途生活的不自由，以旧林、故渊比田园。　[6] 际：间。　[7] 守拙：意指自己

没有才能继续做官。拙，指不善于做官，也就是不会取巧逢迎的意思。 [8] 荫：荫蔽。 [9] 罗：排列。 [10] 暧（ài）暧：晦暗不明。 [11] 依依：形容烟气随风飘悠。墟里：小村落。 [12] 户庭：门庭。尘杂：尘俗杂事。 [13] 虚室：静室，见《庄子·人间世》：“虚室生白。”余闲：闲暇。 [14] 樊笼：关鸟兽的笼子，这里比喻仕途、官场。返自然：指归耕园田。这两句是说自己像笼中的鸟一样，重返大自然，获得自由。

赏析

这首诗是陶渊明《归园田居》组诗中的第一首，描写了陶渊明弃官归田的愉快心情和村居生活的恬然怡人。“少无”八句，表明了诗人辞官回乡的原因。“少无适俗韵，性本爱丘山”，说的是诗人从小就没有适合世俗的性情，生性所爱的是山丘自然。当时陶渊明所面对的“俗”，是充满了钩心斗角、腐败苟且之事的世俗官场，也是那个破败动荡，杀机四伏的时代。诗人的志趣与情操让他不愿与世俗同流合污，而是选择了放弃名利，保持精神上的高贵独立。“误落尘网中，一去三十年”，是诗人回首仕途所发的感慨悔恨。一个“误落”，透露出了他对于当初入仕的追悔之情。“羁鸟恋旧林，池鱼思故渊”，诗人以笼中之鸟、池中之鱼自比，形象地表现了身心受缚、渴望自由的心情。正是因为诗人的天性如飞鸟游鱼般的自由舒展，所以才会在看透了黑暗腐败的官场之后，毅然决定“开荒南野际，守拙归园田”。所谓“守拙”，正与官场中的“机巧算计”相对，取舍之间，体现了诗人内心的操守。

“方宅”以下八句写景，描绘了庭院内外的景色。“方宅十余亩，草屋八九间。榆柳荫后檐，桃李罗堂前”，写的是庭院内的景物，语言通俗质朴，不加矫饰，写尽了乡野农家的自然本色。“暧暧远

人村，依依墟里烟”，诗人把视线投向了远处的村落，村舍被袅袅升起的炊烟所笼罩，朦胧隐约，呈现出一派安宁美好的气象。“狗吠深巷中，鸡鸣桑树颠”，这两句化用了乐府《相和歌辞》中的“鸡鸣高树颠，狗吠深宫中”，通过对鸡、犬的动态描写，再一次展现了农村生活的和乐繁盛。

“户庭无尘杂，虚室有余闲”两句，由写景转入写事。在这个乡间农舍中，没有官场中阿谀应酬的“尘杂”之事，诗人享受到了无烦无扰的“余闲”时光。这种生活在物质上也许是简陋的，但是在精神上却是丰富的。在这里，诗人摆脱了“樊笼”，舒展了天性，找到了“真”和“美”。“久在樊笼里，复得返自然”，正是诗人找到了安身立命之所后欣慰、慨叹的心情表达。

饮酒第九

（东晋）陶渊明

清晨闻叩门，倒裳往自开[1]。问子为谁欤[2]，田父有好怀[3]。壶浆远见候[4]，疑我与时乖[5]：“褴缕茅檐下，未足为高栖[6]。一世皆尚同[7]，愿君汩其泥[8]。”“深感父老言，禀气寡所谐[9]。纡辔诚可学，违己讵非迷[10]！且共欢此饮，吾驾不可回[11]。”

注释

[1] 倒裳：颠倒衣裳。《诗经·齐风·东方未明》：“东方未明，颠倒衣裳。”此句用其意。　[2] 子：指下句的田父，即农夫。欤：

语气词。[3] 好怀：好的情意。[4] 壶浆：用壶盛的酒。[5] 疑：怪。乖：不合。[6] 褴缕：通"褴褛"，衣衫破烂的样子。高栖：指隐居。这两句是说穿着褴褛的衣衫住在茅屋之中，这不值得作为你的隐居之所。自此以下四句都是农夫劝说的话。[7] 尚同：以同于流俗为贵。[8] 汩（gǔ）其泥：《楚辞·渔父》云"世人皆浊，何不淈其泥而扬其波"。即与世人同浊，不要独清的意思。汩，通"淈"，搅混。[9] 禀气：天性。寡所谐：很少与世俗谐洽。[10] 纡辔：驾车而回，指枉道事人。纡，屈曲。辔，马缰绳和嚼子。讵：岂。这两句是说回车改辙诚然可以学习，然而岂不是违反了自己的本意而走入迷途？[11] 共欢此饮：共同欢饮。驾：车驾，借指道路、方向。这两句是说且一同欢饮吧，我的车驾是不可回转的。即初衷不能改变。

赏析

这是一首叙事诗，诗人通过与田父的对话，表达了自己归隐田园、不改初衷的坚定决心。"清晨"六句叙述了田父来访及其用意。"清晨闻叩门，倒裳往自开"，清早诗人听到有人敲门拜访，来不及整理衣服就急着迎客。"问子为谁欤，田父有好怀"，诗人自设问答，介绍了访客的身份及来意，为下文的对话作了铺垫。"壶浆远见候，疑我与时乖"，这两句对田父的"好怀"作了说明，老农怪我与世不合，所以提了壶酒远道前来问候。

"褴缕"四句，直接引用了田父对于诗人的规劝之辞。"褴缕茅檐下，未足为高栖"，在田父看来，诗人衣着褴褛，住在茅草屋里，实在不是高士的归宿。"一世皆尚同，愿君汩其泥"，如今整个社会都崇尚同流合污，您又何必独自清高呢？不如随波逐流，入仕求官，混个衣食无忧，荣华富贵好了！田父之言，饱含着对诗人

的关心和同情。

面对此番美意，诗人又是如何回答的呢？“深感”以下六句就是诗人的答语。“深感父老言，禀气寡所谐”，面对田父的热心相劝，诗人是充满感激的，所以他第一句回答就是“深感父老言”，以表感谢。但是，他也随即说明，我的天性就是很难与世俗苟合的。“纡辔诚可学，违己讵非迷”，走回头路再去做官诚然是可行的，但是，这样违反自己内心本意的做法岂不是走入迷途吗？至此四句，抑扬尽致，诗人充分表明了自己的态度和立场。结尾两句“且共欢此饮，吾驾不可回”，前句是表达对于田父美意的理解与感谢，语气温柔敦厚。后句再次表达自己不改初衷的决心，又是异常的坚定不移，语气可谓斩钉截铁。

整首诗乃是诗人为表示归隐的决心而故意设为问答，是一首完整的叙事诗，包含了对话、转述、夹叙夹议，笔法曲折多变，抑扬有致，摇曳生姿。

思考讨论

鲁迅认为陶渊明身上除了“静穆”，还有“金刚怒目”的一面。阅读陶渊明的《读山海经》、《咏荆轲》，谈谈你对这一点的认识。

登池上楼[1]

（南朝·宋）谢灵运[2]

潜虬媚幽姿[3]，飞鸿响远音[4]。薄霄愧云浮[5]，栖川怍渊沉[6]。进德智所拙[7]，退耕力不任。徇禄反穷海[8]，卧疴对空林[9]。衾枕昧节候[10]，褰开暂窥临[11]。倾耳聆波澜，举目眺岖嵚[12]。初景革绪风[13]，新阳改故阴[14]。池塘生春草，园柳变鸣禽。祁祁伤豳歌，萋萋感楚吟[15]。索居易永久[16]，离群难处心。持操岂独古，无闷征在今[17]。

注释

[1] 池：谢灵运居所的园池。 [2] 谢灵运（385—433）：南朝诗人，浙江会稽（今绍兴）人。主要成就在于山水诗，是中国文学史上山水诗派的开创者。 [3] 虬：传说中有两角的小龙。

媚：有自我怜惜的意思。幽姿：潜隐的姿态。　[4] 远音：因为鸿飞得很高，所以它的鸣声听起来觉得很远。　[5] 薄霄：是指高飞迫近云霄的鸿鸟。薄，迫近。　[6] 栖川：指深渊中的潜龙。怍：惭愧。　[7] 进德：提高道德修养。　[8] 徇禄：追求禄位。[9] 痾：病。　[10] 昧节候：不明白季节。　[11] 褰（qiān）开：揭开帷帘，打开窗子。　[12] 岖嵚：山势险峻的样子。[13] 初景、新阳：指春光。革：清除。绪风：余风，指寒气。[14] 故阴：指寒冬。　[15] 祁祁：众多的样子。萋萋：茂盛的样子。以上两句是因为看到春天的景色而引起对古人歌咏春天情景的感伤情绪的共鸣。　[16] 索居：独居。　[17] 持操：保持高尚的节操。无闷：出自《易经·乾卦》："遁世无闷。"征：验证，证明。以上两句说，虽然离群索居，而能保持高尚的节操无所苦闷，此事岂独古人有之，亦可验之于我今日。

赏析

这首诗是作者从京都外放永嘉，大病初愈之后的登楼之作，表现了诗人抑郁不得志的感伤情绪。诗的开篇四句借虬、鸿起兴，说自己不能像虬龙深隐、鸿雁高飞那样适得其所，而是进退两难，俯仰有愧。"潜虬媚幽姿，飞鸿响远音"两句对仗极为工整，展现了诗人高超的语言艺术。"薄霄愧云浮，栖川怍渊沉"，写的是诗人既不能像鸿雁那样高飞远走，也不能像虬龙那样自由漫游，"愧"、"怍"表现了诗人因理想与现实的矛盾而产生的愧疚与遗憾。"进德"四句，说的是诗人做官的时候想进德修业但智不能及，想退隐又不能力耕自给，为了得些俸禄，只能穷居海滨之地。诗人内心的矛盾痛苦，进退两难的心情可见一斑。在忧虑与煎熬中，诗人终于病倒。"衾枕昧节候，褰开暂窥临"，诗人久病不起，连季节变化都不知道了，在身体稍有起色的时候，才揭开帘幔一窥窗外之景。“倾耳”以下六句都在描写诗人看到的景色。“倾耳聆波澜，举目眺岖嵚”，诗人聆听着远海的涛声，眺望着险峻的山势，发现了景色的变化。“初景革绪风，新阳改故阴”，初春的阳光普照大地，革除了寒冬之气，春天来到了。“池塘生春草，园柳变鸣禽”，池塘之中生长出了碧绿的春草，园中的柳荫里出现了啼叫的小鸟，好一派生机勃勃的春光。这两句清新自然，浑然天成，是千古传诵的名句。然而，面对这春意盎然的美景，诗人的心里却充满了感伤与忧愁。“祁祁伤豳歌，萋萋感楚吟”，诗人想起了“采蘩祁祁”、“春草生兮萋萋”的诗句，不禁心生飘零之苦。“索居易永久，离群难处心”，离群独居的日子分外的寂寞而漫长，诗人内心的伤痛又深了一分。“持操岂独古，无闷征在今”，在痛苦矛盾之中诗人想起了遁世隐居的古人，那种风操在今人之中难道就找不到了么？诗人意在学习高蹈避世的古人之风，归隐于世，以化解内心的矛盾与痛苦。

石壁精舍还湖中作

（南朝·宋）谢灵运

昏旦变气候[1]，山水含清晖[2]。清晖能娱人，游子憺忘归[3]。出谷日尚早，入舟阳已微。林壑敛暝色[4]，云霞收夕霏[5]。芰荷迭映蔚[6]，蒲稗相因依[7]。披拂趋南径[8]，愉悦偃东扉[9]。虑澹物自轻[10]，意惬理无违[11]。寄言摄生客，试用此道推[12]。

注释

[1] 昏旦：傍晚和清晨。 [2] 清晖：指山光水色。 [3] 娱人：使人喜悦。憺（dàn）：安逸。这两句意思是说山光水色使诗人心旷神怡，以致乐而忘返。 [4] 敛：收拢，聚集。暝色：暮色。 [5] 夕霏：傍晚天空中云霞之余氛。霏，云飞貌。 [6] 芰(jì):菱。迭映蔚:芰荷之光色相互映照。 [7] 蒲稗(bài):菖蒲和稗草。这句是说水边菖蒲和稗草很茂密，交杂生长在一起。 [8] 披拂:用手拨开草木。 [9] 偃(yǎn):仰卧，休息。东扉(fēi):东轩。扉，屋舍。 [10]“虑澹”句：思虑淡泊则外物自轻。 [11] 意惬（qiè）：心满意足。理：指自然界万物之理。这句是说由于内心感到满足，因此觉得物理无违于自己的意愿。

[12] 摄生客：注意保养生命的人。此道：指上面“虑澹”、“意惬”两句所讲的道理。

赏析

这首诗描写了诗人的游玩之乐，以及从山水之中体会到的理趣。整首诗生动活泼，抒情与议论自然融合。“昏旦变气候，山水含清晖”，诗人徜徉在山水之中，心情愉悦自在，静静地感受着山中气候的细微变化，观赏着山光水色。“清晖能娱人，游子憺忘归”，这两句化用了屈原《九歌·东君》中的“羌声色兮娱人，观者憺兮忘归”，充分表达了诗人沉醉于山水之中的无限乐趣。“出谷日尚早，入舟阳已微”，走出山谷之时，太阳刚刚升起，可是当诗人泛舟渡湖时，日光已经昏暗了。这是因为诗人在秀美的山水之中流连忘返，忘记了时间的流逝。这两句诗紧扣“游子憺忘归”一句，进一步突出了诗人对于水光山色的留恋。“林壑敛暝色，云霞收夕霏”，天色已晚，诗人不得不登上归舟，然而仍恋恋不舍地回头望去，只看到森林笼罩上了一层暮色，飞动的云霞已消失殆尽。于是，诗人不得不泛舟回家。“芰荷迭映蔚，蒲稗相因依”，湖面上芰荷盛开，交相辉映，小舟就从中缓缓穿过，慢慢靠近了蒲稗密布的湖岸。“披拂趋南径，愉悦偃东扉”，诗人上岸之后拨开草木，辨认出向南的小径，终于踏进了家门。他进门之后就带着愉悦的疲惫歇息在东轩之内。“虑澹物自轻，意惬理无违”，诗人领悟到，只要心境淡泊，那么外物就无足轻重；只要内心感到满足，那么物理就无违于自己的意愿。诗人在畅游了山水之后，达到了自己所追求的自由自在的理想境界，他忍不住要与别人分享这份内心的宁静喜悦，因此写道：“寄言摄生客，试用此道推。”养生之人可以借鉴此中的道理。

思考讨论

陶渊明与谢灵运都擅写山水田园之景，阅读相关作品，谈谈两者的差异。

拟古第六

（南朝·宋）鲍照

束薪幽篁里[1]，刈黍寒涧阴[2]。朔风伤我肌[3]，号鸟惊思心[4]。岁暮井赋讫，程课相追寻[5]。田租送函谷[6]，兽藁输上林[7]。河渭冰未开[8]，关陇雪正深[9]。笞击官有罚[10]，呵辱吏见侵[11]。不谓乘轩意，伏枥还至今[12]。

注释

[1]薪：柴。幽篁：幽暗的竹林。　[2]刈：割。寒涧阴：寒涧的南面。　[3]朔风：北风。　[4]号鸟：悲鸣的鸟。思心：忧愁的心。　[5]井赋：田赋。讫：完毕。程课：定期的捐税。这两句是说到年底刚刚交完田租，而各种定期的捐税又紧接着来了。　[6]函谷：函谷关，在今河南西境，秦汉时为关中与东方交通要隘。　[7]兽藁（gǎo）：兽食的草料。输：输送。上林：上林苑。西汉时皇帝蓄养兽类以供田猎的苑囿，在长安。[8]河渭：黄河和渭水。　[9]关陇：函谷关和陇山一带。[10]笞（chī）击：毒打。　[11]呵辱：呵斥辱骂。侵：欺凌。[12]不谓：不料，不意。乘轩意：指做官的愿望。伏枥（lì）：比喻才能不得施展，有如马伏于槽枥。这两句是说本来希望仕途得意，不料直到现在还壮志未遂。

赏析

鲍照共有《拟古》诗八首，本诗是其中的第六首，揭露了民生疾苦，抒发了诗人怀才不遇的愤懑以及对黑暗的社会现实的慨叹。“束薪”四句，描写了农民辛勤劳动却不得温饱的处境。“束薪幽篁里，刈黍寒涧阴”，农民在深暗的竹林里砍柴，在山涧之北的贫瘠之地上割黍，虽然身心困疲，但是收获甚微。“朔风伤我肌，号鸟惊思心”，北风寒冷刺骨，鸟鸣惊心，严酷的天气更加衬托出农民的凄苦悲愁。“岁暮”以下八句，诗人是以铺陈的手法叙写农民所遭受的残酷剥削和深重压迫。苛捐杂税名目繁多，“岁暮井赋讫，程课相追寻”，一项一项不断催逼。“田租送函谷，兽藁输上林”，为了统治者的享乐，百姓们要从遥远的地方送去田租、兽料。而这送租的路途，则是“河渭冰未开，关陇雪正深”，行路之苦不堪言表，更有甚者，稍有延误，就会被责罚。“笞击官有罚，呵辱吏见侵”，大小官吏对农民任意毒打处罚。这段描写，字里行间渗透着劳动人民的血泪，蕴含了作者对于百姓的同情和对于暴政的愤慨。诗的最后，“不谓乘轩意，伏枥还至今”，说的是诗人没有料到自己虽有乘轩的壮志，却至今还像关在马厩里的老马一样，壮志难酬。诗人对于民生疾苦的关怀，与他的理想抱负深刻地结合在一起。正因为此，诗人的怀才不遇之情才显得更加愤懑悲慨。

梅花落

（南朝·宋）鲍照

中庭杂树多[1]，偏为梅咨嗟[2]。问君何独然[3]？念其霜中能作花[4]，露中能作实[5]，摇荡春风媚春日。念尔零落逐寒风[6]，徒有霜华无霜质[7]。

注释

[1]中庭：庭院中。 [2]咨嗟：叹息声。含赞美、同情和惋惜意。 [3]何独然：为什么唯独为梅花叹息。 [4]其：指梅。作花：开花。 [5]作实：结实。 [6]尔：指杂树。 [7]霜华：霜中的花。华，通“花”。霜质：耐寒的品质。

赏析

鲍照沿用乐府旧题，创作了《梅花落》这首杂言诗。诗的起句开门见山，“中庭杂树多，偏为梅咨嗟”有所譬喻，“杂树”象征庸碌无操守的士大夫，“梅”则象征情操高尚的贤士。在杂树之中，诗人坦言自己最赞赏的是梅花，可谓观点鲜明。以下是诗人与杂树的对话。杂树发问：“问君何独然？”你为什么独独赞赏梅花呢？诗人回答：“念其霜中能作花，露中能作实，摇荡春风媚春日。念尔零落逐寒风，徒有霜华无霜质。”梅花能在寒霜中开花，在寒露中结实，坚贞不屈。而杂树只会在暖春里随风摇曳，在春光之中盛开，即使可以在霜中开花，却也只能凋零于寒风之中，没有耐寒的品质。诗人将杂树拟人化，在问答之中把杂树和梅花加以对比，更加凸显了梅花的坚贞耐寒与杂树的软弱动摇。本诗主要是托讽之辞，褒贬之中表现了作者对节操低下的士大夫的蔑视和对坚贞不阿的贤士的赞扬，其中还包含着对寒士被压抑的义愤和对高门士族垄断政权的愤慨。

思考讨论

杜甫写诗称“俊逸鲍参军”。结合诗歌，谈谈鲍照之“俊逸”是如何体现的。

之宣城郡出新林浦向板桥[1]

（南朝·齐）谢朓[2]

江路西南永[3]，归流东北骛[4]。天际识归舟[5]，云中辨江树[6]。旅思倦摇摇[7]，孤游昔已屡[8]。既欢怀禄情[9]，复协沧洲趣[10]。嚣尘自兹隔[11]，赏心于此遇[12]。虽无玄豹姿，终隐南山雾[13]。

注释

[1]之：到。宣城：在今安徽宣城。板桥：板桥浦，在离建康不远的西南方。 [2]谢朓（464—499）：南朝齐诗人。字玄晖，陈郡阳夏（今河南太康）人。与谢灵运并称“大小谢”，为“竟陵八友”之一。公元495年出任宣城太守，故有谢宣城之称。后被诬陷死于狱中。现存诗二百多首，其山水诗的成就很高，观察细微，描写逼真，风格清俊秀丽，一扫玄言余习。写景抒情清新自然，意境新颖，富有情致，且佳句颇多。与沈约等共创“永明体”，对近体诗的形成有重要建树。 [3]江路：长江的水路。永：长。[4]归流：指江水，江以入海为归。骛（wù）：奔驰。 [5]天际：天边，指江天相接处。归舟：返航的船，这里指归向京城的船。[6]江树：江边之树。 [7]摇摇：心神不定的样子。 [8]屡：多次。 [9]怀禄情：怀恋俸禄。 [10]协：适合。沧洲：海中洲名，仙隐所居之处。 [11]嚣尘：指繁杂的人事。[12]赏心：指自己心里所喜悦的事情。 [13]虽无玄豹姿，终隐南山雾：出自《列女传》：“妾闻南山有玄豹隐雾七日而不食，

欲以泽其衣毛，成其文章。”意思是说，玄豹担心雾会使自己的皮毛失去光泽，故雾气弥漫时就躲在洞穴内。诗人借以表示向往洁身自好。

赏析

这首诗是作者从建业赴任宣城太守途中所作，全诗可分为两部分。从“江路西南永”到“云中辨江树”为第一部分，写的是江路所见；从“旅思倦摇摇”至“终隐南山雾”为第二部分，写的是江路所思。“江路西南永，归流东北骛”，写的是诗人在赴任途中，逆江而行，前路漫漫。“永”字写出了赴任江路的漫长，也透露出了作者倦游的心理。“骛”字表现了水势的汹涌奔腾，同时含蓄地表现了船逆流而上的艰难与迟缓。“天际识归舟，云中辨江树”两句，描绘了所见风景。“归舟”好似与天际融为一体，“江树”仿佛生长到了云彩之中，如此妙笔勾勒出了一个天地交会的广阔视野。此外，江天之广袤，也衬托出了江路之漫长。写景之后，诗人开始抒情。“旅思倦摇摇，孤游昔已屡”，诗人没有心情欣赏江天之景，而是感到厌倦无聊，心神不宁。他的心神不宁来源于对于前途命运的担忧。“既欢怀禄情，复协沧洲趣。嚣尘自兹隔，赏心于此遇。”面对这次的仕途变动，诗人表示很愿意远离京城担任一郡之长，隐居于冷僻之地，远避谗佞之害，从此与喧嚣嘈杂都隔绝。这样的际遇让诗人欢欣不已。结句“虽无玄豹姿，终隐南山雾”，运用典故，表达了作者蛰居僻地，独善其身，以幽栖远害的愿望。

晚登三山还望京邑[1]

（南朝·齐）谢朓

灞涘望长安[2]，河阳视京县[3]。白日丽飞甍[4]，参差皆可见[5]。余霞散成绮[6]，澄江静如练[7]。喧鸟覆春洲[8]，杂英满芳甸[9]。去矣方滞淫[10]，怀哉罢欢宴。佳期怅何许[11]，泪下如流霰[12]。有情知望乡，谁能鬒不变[13]？

注释

[1] 三山：山名，在今南京西南长江南岸。还望：回头眺望。京邑：指金陵，故址在今江苏南京东南。　[2]“灞涘”句：借用汉末王粲《七哀诗》“南登霸陵岸，回首望长安”的诗意。涘：岸。[3]“河阳”句：借用西晋诗人潘岳《河阳县作》“引领望京室，南路在伐柯”的诗意。河阳，地名，故址在今河南孟县西。京县，指西晋都城洛阳。这两句是以古人的望京比自己的望京，以灞涘、

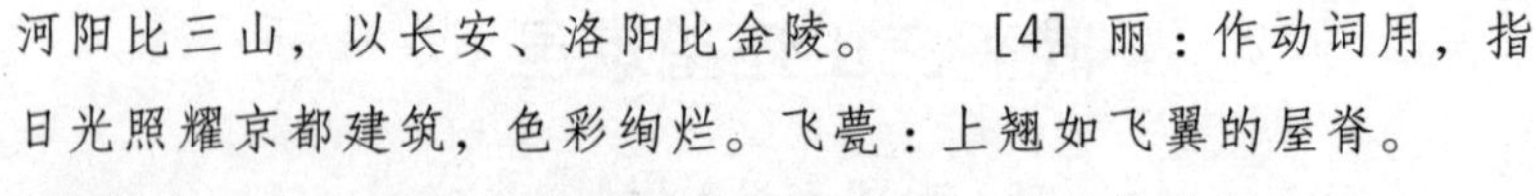

河阳比三山，以长安、洛阳比金陵。 [4] 丽：作动词用，指日光照耀京都建筑，色彩绚烂。飞甍：上翘如飞翼的屋脊。 [5] 参差：上下不齐的样子。 [6] 绮：有花纹的丝织品。 [7] 澄江：清澈的江水。练：洁白的绸子。 [8] 覆：覆盖，形容鸟儿众多。 [9] 芳甸：芬芳的郊野。 [10] 滞淫：久留，淹留。 [11] 佳期：指还乡之期。怅：恨。 [12] 霰：小冰粒。 [13] 鬒（zhěn）：黑发。变：这里指变白。

赏析

这首诗写的是登山临江所见的春晚之景和遥望京师而引起的故乡之思。首两句“灞涘望长安，河阳视京县”，化用了王粲和潘岳的诗句，用以抒发自己的飘零心境和失意情怀，成为诗的自然起兴，为下文畅抒情怀作了铺垫。“白日”六句描绘了自然山水的美景。“白日丽飞甍，参差皆可见”，写的是日光照耀京都建筑，色彩绚烂，耀眼明丽，既是对于巍峨宫室的描写，也寄托了诗人怀想京邑之情。“余霞散成绮，澄江静如练”，生动地描绘了一幅夕阳春江两相辉映的美景：半空彩霞，艳如锦缎，澄澈春江，静如白绸。“余”字描摹了落日衔山之态，“散”字表现了霞光四射的动感，“静”、“澄”二字则把滔滔江水化动为静，更显其流势。如此视角独特，动静结合，对属工整的写景手法使得这两句诗成为了千古传诵的名句。“喧鸟覆春洲，杂英满芳甸”，紧接着诗人的视线转向了江边郊野，只看到绿草如织，鸟鸣四起，似乎还可闻到扑鼻的芳草之香。整首诗的景物描写在此达到高潮，也正由此，情感脉络发生了转折。“去矣方滞淫，怀哉罢欢宴”，水光山色如此秀美，然而自己却要离开这里了，心中有无限的依恋不舍。“佳期怅何许，泪下如流霰”，诗人想到返京之时渺茫无期，不由得双泪滂沱。“有情知望乡，谁能鬒不变”，有情感的人深知思乡之苦楚，怎能不忧伤得生出白发呢？整首诗造语精丽，感情深沉，情景交融，充分表现了诗人去国怀乡的复杂思绪，也反映了那个特定时代的知识阶层的精神苦闷。

思考讨论

结合所读的诗作，试比较谢朓、谢灵运两人在写景上特点。

拟咏怀第四

（南朝·梁）庾信

楚材称晋用，秦臣即赵冠[1]。离宫延子产，羁旅接陈完[2]。寓卫非所寓，安齐独未安[3]。雪泣悲去鲁[4]，凄然忆相韩[5]。唯彼穷途恸，知余行路难[6]。

注释

[1]“楚材”二句：《左传·襄公二十六年》：“惟楚有材，晋实用之。”意思是说楚国的才能之士为晋国所用。称，适合。“秦臣”句：《后汉书·舆服志》：“秦灭赵，以其君冠赐近臣。”即，戴的意思。这两句是说，自己本为梁臣，现却为魏、周所用。　[2]离宫：行宫，这里指招待他国贵宾的客馆。《左传·襄公三十一年》记载，春秋时郑大夫子产曾佐郑伯至晋国，因不被晋侯及时接见，尽毁宾馆之垣而入。晋侯因此知过，厚礼郑伯，并扩建宾馆。“羁旅”

句:《左传·庄公二十二年》记载，春秋时陈国公子完奔齐，齐侯使之为卿，他自称羁旅之臣，不肯接受。这两句是说，自己在北方受到了北周诸帝的重视和优待。 [3]“寓卫”二句:分别用了黎侯和重耳的典故。《诗经·式微》序:“黎侯寓于卫，其臣劝以归也。”《左传·僖公二十二年》记载:春秋时晋公子重耳出亡至齐，齐桓公以女齐姜妻之，重耳有安居之意。重耳部下认为不可，设计使重耳离齐。这两句是在说，自己留于北方是出于不得已。

[4]雪泣:拭泪。《韩诗外传》:“孔子去鲁，迟迟乎其行也。”这句以孔子的去鲁比喻自己的远离父母之邦。 [5]相韩:《史记·留侯世家》记载:张良家五世在韩国为相，韩亡，张良倾尽家财求刺客谋杀秦王,为韩报仇。庾信与其父庾肩吾均曾仕梁,深念旧恩,故以张良五世相韩为比。 [6]穷途恸:《魏氏春秋》记载:“阮籍时率意独驾，不由径路，车迹所穷，辄恸哭而返。”这两句是说，自己处此境地唯有穷途恸哭而已。

赏析

《拟咏怀》一共有二十七首，是庾信自梁朝出使到北朝被羁留的后期所写的代表作，大都是叙述丧乱、感叹身世之作。这首诗是其中的第四首，叙写了流落异域、思念故国的悲愤之情。整首诗通篇用典，却又自然贴切，使得用词更为精约，感情更为含蓄。起首二句“楚材称晋用，秦臣即赵冠”，诗人借古人之事说自己本来穿着梁朝的官服出使西魏，却被扣留了下来。“离宫延子产，羁旅接陈完”，说的是诗人像子产出使晋国一样被西魏接待入客馆，又好像陈完一样成为了“羁旅之臣”。“寓卫非所寓，安齐独未安”，运用了两个典故:黎侯被迫寓于卫国，而卫国实非所能寓居之地;重耳出亡到齐，而齐国实非所能安之地。诗人以此表明了自己留仕于西魏，实非本心所愿。“雪泣悲去鲁，凄然忆相韩”，诗人运用孔子去鲁之事来比喻自己远离父母之邦，表达了自己的悲哀。又以张良自比，感念家族世代为官的恩德，由此生发出无限凄然之感。“唯彼穷途恸，知余行路难”，运用了阮籍穷途痛哭的典故，写的是自己面对世路艰难，悲恸慨叹，看不到出路，唯有一哭而已。

拟咏怀第十一

（南朝·梁）庾信

摇落秋为气[1]，凄凉多怨情。啼枯湘水竹[2]，哭坏杞梁城[3]。天亡遭愤战[4]，日蹙值愁兵[5]。直虹朝映垒[6]，长星夜落营[7]。楚歌饶恨曲，南风多死声[8]。眼前一杯酒，谁论身后名[9]。

注释

[1]“摇落”句：本于宋玉《九辩》：“悲哉秋之为气也，萧瑟兮草木摇落而变衰。”气，节气。　[2]“啼枯”句：相传舜出巡死于苍梧，他的两个妃子自沉湘水前，望苍梧而哭，泪洒竹上，尽成斑痕。　[3]“哭坏”句：相传春秋时齐大夫杞梁战死，其妻悲伤无依，放声号哭，杞城为之崩坏。　[4]天亡：意思是说灭亡是由于天意。此处指梁元帝承圣三年（554），西魏遣于谨率兵攻江陵，元帝出降被杀的事情。　[5]蹙：迫促，意思是说国家的领土一天天缩小。值：遇到。　[6]“直虹”句：古代认为长虹映照军垒为兵败的象征。　[7]“长星”句：诸葛亮最后

一次伐魏时，驻军五丈原，临死时，有长星赤而芒角，流落营中。据说这是主将将死的征兆。当时在江陵防守战中，梁朝大将胡僧佑中流矢而死。 [8]“楚歌”句：项羽被围困于垓下时，闻四面皆楚歌，因此后人以“四面楚歌”形容危困的处境。饶，多。“南风”句：《左传·襄公十八年》：“晋人闻有楚师。师旷曰：不害。吾骤歌北风，又歌南风，南风不竞，多死声，楚必无功。”这两句是说梁之不振终致江陵败亡。 [9]“眼前”两句：描写自己只能以酒浇愁，对于身后之名，也感到无法计较，含有消极无奈的情绪。

赏析

这首诗是在感慨追怀梁元帝江陵之败。全诗使用了倒叙的艺术手法，用典多而又自然流畅。诗的起首二句“摇落秋为气，凄凉多怨情”，用宋玉《九辩》典，说的是秋天草木凋零，触目一片凄凉，使人充满悲怨之情。这是在描写梁朝灭亡之后的凄凉景象。“啼枯湘水竹，哭坏杞梁城”，分别使用了湘妃、杞梁妻的典故，以古代传说来表现江陵陷落之后，无数百姓家破人亡，号哭遍野的悲惨景象。“天亡遭愤战，日蹙值愁兵”，这两句是在写战争失败乃是天意使然，士兵们面对失败愁怨不堪。“直虹朝映垒，长星夜落营”两句，将时间拉回到了江陵之败前，说明了失败之事早有预兆。“楚歌饶恨曲，南风多死声”，使用了“楚歌”、“南风”的典故，说明了梁朝最终难逃兵败国亡的命运。诗尾“眼前一杯酒，谁论身后名”，概括了梁朝灭亡的原因正在于君臣的贪图安逸享乐，不虑后顾之忧。整首诗六联可为六层，犹如层层剥茧，条理清晰，又充满了悲愁色彩。

思考讨论

结合庾信的两首诗作，分析在诗歌中“用典”的作用。

第三章 散 文

论积贮疏

（西汉）贾谊

管子曰[1]："仓廪实而知礼节。"民不足而可治者，自古及今，未之尝闻。古之人曰："一夫不耕，或受之饥；一女不织，或受之寒[2]。"生之有时，而用之亡度，则物力必屈[3]。古之治天下，至孅至悉也[4]，故其畜积足恃[5]。今背本而趋末[6]，食者甚众，是天下之大残也[7]；淫侈之俗[8]，日日以长，是天下之大贼也[9]。残贼公行[10]，莫之或止[11]；大命将泛[12]，莫之振救[13]。生之者甚少，而靡之者甚多，天下财产何得不蹶[14]！汉之为汉，几四十年矣，公私之积，犹可哀痛！失时不雨，民且狼顾[15]；岁恶不入[16]，请卖爵子[17]，既闻耳矣[18]。安有为天下阽危者若是而上不惊者[19]？

注释

[1]管子：管仲，字夷吾，春秋时齐国国相。他主张通货积财，富国强兵，辅助齐桓公成为春秋五霸之首。引文见《管子·牧民》，原作“仓廪实则知礼节”。《管子》旧题为管仲撰，其实很多地方是后人在辑录的过程中伪托的。　[2]“一夫”四句：见《管子·轻重甲》：“一农不耕，民或为之饥；一女不织，民或为之寒。”或，有人。　[3]屈：尽，竭尽。　[4]孅：通“纤”，细致。悉：详密。　[5]畜：通“蓄”，积蓄。　[6]本：指农业。末：指工商。　[7]残：伤害。　[8]淫侈：奢侈，浪费过度。[9]贼：危害。　[10]公行：公然行动。　[11]或：句中语气词。[12]大命：国家的命运。泛：倾倒。　[13]振救：拯救，挽救。[14]蹶（jué）：竭尽。　[15]狼顾：狼生性多疑，害怕来自后面的袭击，走路常回头看，用来比喻人有所顾虑。这里是说百姓因为不下雨，就像狼频频回顾那样害怕。　[16]岁：一年的收成。恶：不好。不入：指纳不了税。　[17]卖爵子：指朝廷卖爵位，百姓卖儿女。　[18]闻耳：是说传达到皇帝的耳朵里。[19]为：治理。阽（diàn）危：摇摇欲坠。

译文

管子说：“粮仓充实而知道礼节。”百姓不能自足却可以使社会安定的事，从古代到现在，不曾听说过。古代人说：“一个农夫不种地，就有人挨饿；一个农妇不织布，就有人挨冻。”生产是有时间限制的，但是耗用没有限度，那么可供使用的物资必定穷尽。古代治理天下的人，非常细致非常周全，所以积蓄充实完全可为依靠。现在背弃农业这个根本大业而去从事工商等末业，使得食者日益增多，这是天下的大害啊；过度奢侈的风气一天天地增长，这（也）是天下的大祸啊。（这两种）祸害公然流行，没有人制止它；国家命运将要覆灭，没有谁能拯救它；生产的东西很少，但是消费物资的人很多，天下财产怎能不耗尽？汉朝自建立汉政权以来，将近四十年了，无论是朝廷还是私人的积蓄，都少得让人悲哀和痛心。天错过农时不下雨，百姓就会因此而忧虑。遇上年荒而无收获，朝廷便要卖爵位，百姓便要卖子女。既然听说了这种情况，那么哪有治理天下到了这种危急的地步而君王却不惊慌的呢？

世之有饥穰[1]，天之行也，禹、汤被之矣[2]。即不幸有方二三千里之旱[3]，国胡以相恤[4]？卒然边境有急[5]，数千百万之众，国胡以馈之[6]？兵旱相乘[7]，天下大屈，有勇力者，聚徒而衡击[8]；罢夫羸老[9]，易子而咬其骨。政治未毕通也[10]，远方之能疑者并举而争起矣[11]。乃骇而图之，岂将有及乎？

注释

[1] 饥穰：荒年和丰年。 [2] 被：遭受。 [3] 即：假如，如果。 [4] 胡：疑问代词，什么。恤（xù）：救济。 [5] 卒然：突然。卒，通“猝”。 [6] 馈（kuì）：指发放粮饷。 [7] 兵：指战争。相乘：相因。 [8] 衡击：横行抢劫。衡，通“横”，威胁。[9] 罢夫羸（léi）老：老弱病残的人。羸，瘦弱。 [10] 毕：完全。通：达。 [11] 能疑者：僭越造反的人。“能”字是衍文。疑，通“拟”，指与皇帝比拟，即“僭越”。

译文

世间有荒年丰年，是自然之道，夏禹、商汤都遭受过。假如不幸遭遇方圆二三千里的旱灾，国家拿什么救济灾民呢？如果突然间边境出现了紧急情况，数十万数百万的军队，国家用什么给他们发放粮饷？兵灾、旱灾相继而来，而天下的财富已大大缺乏，有力量的人聚集暴徒而横行劫击，身体衰弱的人和瘦弱的老人只有易子而食；朝廷的政令尚未在全国各地贯通，偏远地方能与皇帝较量的人，纷纷起来造反。于是皇上才会惊恐而想办法对付他们，哪里还来得及呢？

夫积贮者，天下之大命也[1]。苟粟多而财有余，何为而不成？以攻则取[2]，以守则固[3]，以战则胜。怀敌附远[4]，何招而不至！今殴民而归之农田[5]，皆著于本[6]；使天下各食其力，末技游食之民[7]，转而缘南晦[8]，则畜积足而人乐其所矣。可以为富安天下，而直为此廪廪也[9]，窃为陛下惜之。

注释

[1]命：命脉，这里指命脉之所系。　[2]取：轻易地征服别国或打败敌军。　[3]固：稳固，安定。　[4]怀敌：使敌对者来归顺。怀，来，使动用法。附远：使远方的人归附。[5]殴：通“驱”，驱使。　[6]著：附着。　[7]末技：古代指工商业。　[8]缘南晦：指趋向农事。缘，沿、绕。晦，通“亩”。[9]直：等于说却。廪廪：戒备，畏惧的样子。廪，通“懔”。

译文

积蓄贮藏粮食，这是天下的命脉啊。如果粮食多而财物有余，那么还有什么事情做不成呢？以此进攻就能轻易征服别国，以此防守就能使国家安定，以此作战就能获胜。使敌对的人归顺，使远方的人归附，哪里有招呼而不到的呢！现在驱使百姓回归到农业上，都去从事农业生产，使天下人自食其力，让从事工商业的人和那些游居无业的人，都转而从事农业，那么就可以使积蓄充足而人人乐得其所了。本来可以做到使天下富足安定，却造成这种因积贮不足而令人恐惧的局面，我真为陛下感到痛惜啊！

赏析

《论积贮疏》选自《汉书·食货志》。这篇著名的政论文是贾谊针对当时存在的内忧外患和弃农从商的现实，给汉文帝刘恒的一篇奏疏，反映了贾谊重农抑商的主张。

文章的第一段论述了平时积贮的重要性。首先引用了管子的话作为立论的根据，开门见山地提出了中心论点：民不足而不可治。然后通过古今对比，列举反面事例进行了具体论述。作者是从巩固政权的高度，对积贮粮食的重要性进行了强调。文章的第二段，作者用三个反问句，提出了天灾、外患、内忧这三大危机，从反面论述了不积贮的危害，从而强调了积贮的紧迫性，说明了有备无患的重要。第三段总结了积贮的重要，提出了积贮的根本措施：重农抑商，发展农业生产。

全文结构严谨，说理透彻，感情充沛。贾谊议论政事多中时弊，犀利激切，有战国纵横家的风格，对后世有一定影响。

思考讨论

贾谊的政论散文向来以气势充沛著名，试以本文为例谈谈他是如何做到这一点的。

太史公自序

（西汉）司马迁[1]

太史公曰[2]："先人有言[3]：'自周公卒五百岁而有孔子[4]。孔子卒后至于今五百岁，有能绍明世[5]，正《易传》[6]，继《春秋》，本《诗》、《书》、《礼》、《乐》之际[7]？'意在斯乎！意在斯乎！小子何敢让焉[8]！"

注释

[1]司马迁：字子长，夏阳（今陕西韩城）人，先世为周代史官，父亲司马谈任汉武帝太史令。司马迁少时师从大儒董仲舒、孔安国，二十岁后漫游几遍全国。后因替李陵辩解被武帝施以宫刑，出狱后，发愤著书，于征和初年（前92）左右完成《史记》这部巨著。本文节选自《太始公自序》。　[2]太史公：司马迁自称。
[3]先人：指司马迁的父亲司马谈。　[4]周公：姓姬，名旦，周武王之弟，周成王之叔。武王死时，成王尚年幼，于是就由周

公摄政(代掌政权)。周朝的礼乐制度相传是由周公制定的。卒:死。

[5]绍:承继。　[6]《易传》:即《周易》。　[7]《春秋》:春秋时鲁国的编年体史书,相传是孔子根据鲁国史官编的《春秋》加以整理、修订而成。《诗》:即《诗经》,是我国第一部诗歌总集。《书》:即《尚书》,是记载上古时帝王言论以及政治文告的书。《礼》:记载周代礼仪制度的书。《乐》:儒家经典之一,今已不传。

[8]让:谦让。

译文

太史公说:"我的父亲生前曾说过:'自周公死后五百年而有孔子。孔子死后到现在五百年,有能继承清明之世的事业,整理《易传》,接续《春秋》,推考《诗》、《书》、《礼》、《乐》的精义的人吗?'大概就在我吧!大概就在我吧!我又怎敢推辞呢。"

上大夫壶遂曰[1]:"昔孔子何为而作《春秋》哉?"太史公曰:"余闻董生曰[2]:'周道衰废,孔子为鲁司寇[3],诸侯害之[4],大夫壅之[5]。孔子知言之不用,道之不行也,是非二百四十二年之中[6],以为天下仪表,贬天子,退诸侯,讨大夫,以达王事而已矣。'子曰:'我欲载之空言,不如见之于行事之深切著明也。'夫《春秋》,上明三王之道[7],下辨人事之纪,别嫌疑,明是非,定犹豫,善善恶恶,贤贤贱不肖,存亡国,继绝世[8],补弊起废,

王道之大者也。《易》著天地、阴阳、四时、五行[9]，故长于变；《礼》经纪人伦，故长于行；《书》记先王之事，故长于政；《诗》记山川、溪谷、禽兽、草木、牝牡、雌雄[10]，故长于风[11]；《乐》乐所以立，故长于和；《春秋》辨是非，故长于治人。是故《礼》以节人，《乐》以发和，《书》以道事，《诗》以达意，《易》以道化，《春秋》以道义。拨乱世反之正，莫近于《春秋》。《春秋》文成数万，其指数千[12]。万物之散聚皆在《春秋》。《春秋》之中，弑君三十六[13]，亡国五十二，诸侯奔走不得保其社稷者不可胜数。察其所以，皆失其本已。故《易》曰'失之豪厘[14]，差之千里'。故曰'臣弑君，子弑父，非一旦一夕之故也，其渐久矣[15]'。故有国者不可以不知《春秋》，前有谗而弗见[16]，后有贼而不知[17]。为人臣者不可以不知《春秋》，守经事而不知其宜[18]，遭变事而不知其权[19]。为人君父而不通于《春秋》之义者，必蒙首恶之名。为人臣子而不通于《春秋》之义者，必陷篡弑之诛，死罪之名。其实皆以为善，为之不知其义，被之空言而不敢辞[20]。夫不通礼义之旨，至于君不君，臣不臣，父不父，子不子。夫君不君

则犯[21]，臣不臣则诛，父不父则无道，子不子则不孝。此四行者，天下之大过也。以天下之大过予之，则受而弗敢辞。故《春秋》者，礼义之大宗也[22]。夫礼禁未然之前，法施已然之后；法之所为用者易见，而礼之所为禁者难知。”

注释

[1]壶遂：武帝时候的天文学家，曾和司马迁一起参加太初改历。 [2]董生：指汉代儒学大师董仲舒。 [3]孔子为鲁司寇：鲁定公十年（前500），孔子在鲁国由中都宰升任司空和大司寇，是年五十二岁。司寇，主管缉捕盗贼，维护治安。 [4]害：忌恨。[5]壅（yōng）：抑制，障蔽。 [6]是非：褒贬，评论。[7]三王。指夏、商、周三代的开国之君禹、汤、文王。 [8]绝世：断绝了的世系。 [9]阴阳：古代以阴阳解释世间万物的发展变化，凡天地万物皆分属阴阳。四时：春、夏、秋、冬四季。五行：水、火、木、金、土五种基本元素，古人认为它们之间会相生相克。[10]牝牡（pìn mǔ）：牝为雌，牡为雄。 [11]风：通“讽”，《诗经》中的《国风》是来自各地区的歌谣，几乎每篇都使用了许多草木虫鱼作为其“赋”、“比”、“兴”的手段，而诗人的写作目的，则是用于讽谏。 [12]指：通“旨”，要旨。 [13]弑：古时称臣杀君、子杀父母为“弑”。 [14]豪：通“毫”。[15]其渐久矣：这是逐渐发展而来的，其开头已经很久了。[16]馋：指馋臣，专门说人坏话，怂恿君主做坏事的人。[17]贼：贼臣，阴险残忍的奸臣。 [18]守经事：在正常情况

下处理一般事务。经，正常。 [19]遭变事:遭遇紧急情况。权:变通。 [20]被:读“披”，加。空言:不实的罪名。 [21]犯:侵犯。 [22]宗：根本，本旨。

译文

上大夫壶遂问：“从前孔子为什么要作《春秋》呢？”太史公说：“我曾听董生讲：‘周朝王道衰落破败之时，孔子担任鲁国司寇，诸侯嫉害他，卿大夫阻挠他。孔子知道自己的意见不被采纳，自己的道术学说无法实行，便评判二百四十二年中间人和事的是非，以此作为天下万世的准则，贬抑无道的天子，斥责为非的诸侯，声讨乱政的大夫，以达成王纲的目标。’孔子说：‘我与其把我的道用空洞的说教载述出来，不如举出在位者所作所为以见其是非美恶，这样就更加深切显明了。’《春秋》这部书，往上说是讲明三代圣王的治道，往下说又能辨别人事的纪纲，它可分辨疑惑难明的事物，判明是非的界限，使犹豫不决的人拿定了主意，褒善贬恶，尊重贤能，贱视不肖，使灭亡的国家存在下去，断绝了的世系继续下去，补救政治上的弊端，振兴荒废的事业，这些都是王道王政最重要的纲领啊。《易》载述天地、阴阳、四时、五行的原理，所以在说明变化方面见长；《礼》规范人伦，所以在行事方面见长；《书》记述先王事迹，故以政治理论著称;《诗》记山川溪谷、禽兽草木，牝牡雌雄，故以土风民谣见长；《乐》是音乐所以发展的基础，所以长于调和性情；《春秋》论辨是非，故长于处理人事。由此可见，《礼》是用来节制约束人的，《乐》是用来引发人心的和平气息，《书》是用来述说政事的，《诗》是用来表达情意的，《易》是讲大化流行的，《春秋》是用来论述道义的。平定乱世，使之复归正道，没有什么著作比《春秋》更切近有效。《春秋》不过数万字，而其要旨就有数千条。

万物的离散聚合都在《春秋》之中。在《春秋》一书中，记载弑君事件三十六起，被灭亡的国家五十二个，诸侯出奔逃亡不能保其国家的数不胜数。考察其变乱败亡的原因，都是丢掉了作为立国立身根本的春秋大义。所以《易》中讲‘失之毫厘，差以千里’。说‘臣弑君，子弑父，并非一朝一夕的缘故，是长时期逐渐形成的’。因此，做国君的不可以不读《春秋》，否则就是谗佞之徒站在面前也看不见，奸贼之臣紧跟在后面也不会发觉。做人臣者不可以不读《春秋》，否则就只会在正常情况下处理一般事务，不懂得因事制宜，遇到突发事件则不知如何灵活对待。做人君、人父若不通晓《春秋》的要义，必定会蒙受首恶之名。做人臣、人子如不通晓《春秋》要义，必定会陷于篡位杀上而被诛伐的境地，并蒙死罪之名。其实做臣了的每认为是应当做的而盲目地去做了，他们不晓得大义所在，受了毫无根据的批评而不敢反驳。如不明了礼义的要旨，就会弄到君不像君，臣不像臣，父不像父，子不像子的地步。君不像君，就会被臣下冒犯，臣不像臣就会遭遇杀身之祸，父不像父就会昏聩无道，子不像子就会忤逆不孝。这四种恶行，是天下最大的罪过。把天下最大的罪过加在他身上，也只得接受而不敢推卸。所以《春秋》这部经典是礼义根本之所在。礼是禁绝坏事于发生之前，法规施行于坏事发生之后；法施行的作用显而易见，而礼禁绝的作用却隐而难知。”

壶遂曰：“孔子之时，上无明君，下不得任用，故作《春秋》，垂空文以断礼义[1]，当一王之法。今夫子上遇明天子，下得守职[2]，万事既具，咸各序其宜[3]，夫子所论，欲以何明？”

注释

[1] 垂空文以断礼义：通过写《春秋》将其以礼义治世的思想宣示于世人。 [2] 守职：忠于职守。 [3] 咸：都。

译文

壶遂说："孔子时候，上没有圣明君主，他处在下面又得不到任用，所以撰写《春秋》，留下这部用笔墨写成的著作来判明什么是礼义，以充当一代帝王的法典。现在先生上遇圣明天子，下能当官供职，国家有许多事务已经兴作，朝野上下各得其所，先生想要有所撰述，究竟想要做什么？"

太史公曰："唯唯，否否，不然[1]。余闻之先人曰：'伏羲至纯厚[2]，作《易》八卦。尧舜之盛[3]，《尚书》载之[4]，礼乐作焉。汤武之隆[5]，诗人歌之[6]。《春秋》采善贬恶，推三代之德[7]，褒周室，非独刺讥而已也。'汉兴以来，至明天子，获符瑞[8]，封禅[9]，改正朔[10]，易服色[11]，受命于穆清[12]，泽流罔极，海外殊俗，重译款塞[13]，请来献见者不可胜道。臣下百官力诵圣德，犹不能宣尽其意。且士贤能而不用，有国者之耻；主上明圣而德不布闻，有司之过也[14]。且余尝掌其官，废明圣盛德不载，灭功臣世家贤大夫之业不述，堕先人所言，罪莫大焉。余所谓述故事[15]，整齐其世传[16]，非所谓作也，而君比之于《春秋》，谬矣。”

注释

[1] 唯唯，否否，不然：言其欲“唯”不敢，欲“否”又不甘心的进退失据的样子。 [2] 伏羲：神话中人类的始祖。曾教民结网，从事渔猎畜牧。据说《易经》中的八卦就是他画的。 [3] 尧：传说中我国父系社会后期部落联盟的领袖。舜：由尧的推举，继任部落联盟的领袖。挑选贤才，治理国家，并把治水有功的大禹推为自己的继承人。 [4]《尚书》载之：《尚书》的第一篇《尧典》，记载了尧禅位给舜的事迹。 [5] 汤：商朝的建立者。原是商族的领袖，后任用贤相伊尹执政，积聚力量，先后十一次出征，消灭了邻近几个部落。最后一举灭夏，建立商朝。武：周武王，西周王朝的建立者。继承文王的遗志，率部东攻，在牧野（今河南淇县西南）大败商纣王部队，建立周朝。 [6] 诗人歌之：《诗经》中有《商颂》五篇，内容多是对殷代先王先公的赞颂。 [7] 三代：夏、商、周。 [8] 符瑞：吉祥的征兆。 [9] 封禅：帝王祭天地的典礼。 [10] 正朔：正月初一。古代王者建国，常有“改正朔”之事。秦朝以孟冬十月为正，汉初因之，至武帝太初元年改历，又回复使用夏历，亦即今之阴历。 [11] 易服色：指帝王的车马礼服等要改用新的颜色。秦时尚黑，汉时开始尚赤，后又改为尚黄。 [12] 穆清：指天。 [13] 重译：经过几重翻译，指远方国家。款塞：叩关。 [14] 有司：有关官员。 [15] 故事：旧事。 [16] 整齐：整治，使有条理。

译文

太史公说："对对，不对不对，不是这么回事。我曾从先父那里听说：'伏羲最为纯朴厚道，创作《周易》中的八卦。尧舜时代的强盛，《尚书》作了记载，礼乐就是在那时兴起。商汤周武时代的隆盛，诗人予以歌颂。《春秋》扬善贬恶，推崇夏、商、周三代盛德，褒扬周王室，并非全是抨击和讥讽呀。'汉朝兴建以来，至当今英明天子，捕获白麟，上泰山举行封禅大典，改订历法，变换车马、服饰的颜色，受命于上天，恩泽流布无边，海外不同习俗的国家，辗转几重翻译，来到中国，请求进献朝见的不可胜数。臣下百官竭力颂扬天子的功德，仍不能完全表达出他们的心意。何况士贤能而不被任用，是做国君的耻辱；君主明圣而功德不能广泛传扬使大家都知道，是史官的罪过。况且我曾担任太史令的职务，若弃置天子圣明盛德而不予记载，埋没功臣、世家、贤大夫的功业而不予载述，就违背了先父的临终遗言，没有什么罪过比这更大了。我所说的缀述旧事，整理古代帝王诸侯亦即英雄豪杰们的家世事迹，并非所谓著作呀，而您拿它与《春秋》相比，那就错了。"

于是论次其文。七年而太史公遭李陵之祸[1]，幽于缧绁[2]。乃喟然而叹曰："是余之罪也夫？是余之罪也夫！身毁不用矣。"退而深惟曰[3]："夫《诗》、《书》隐约者，欲遂其志之思也。昔西伯拘羑里[4]，演《周易》；孔子厄陈、蔡[5]，作《春秋》；屈原放逐，著《离骚》[6]；左丘失明[7]，厥有《国语》；

孙子膑脚[8]，而论兵法；不韦迁蜀[9]，世传《吕览》[10]；韩非囚秦[11]，《说难》、《孤愤》[12]；《诗》三百篇[13]，大抵贤圣发愤之所为作也。此人皆意有所郁结，不得通其道也，故述往事，思来者。”于是卒述陶唐以来[14]，至于麟止[15]，自黄帝始[16]。

注释

[1]李陵之祸：李陵，陇西成纪（今甘肃秦安）人，汉代名将李广之孙，善于骑射，汉武帝时官拜骑都尉。天汉二年（前99），汉武帝出兵三路攻打匈奴，以他的宠妃李夫人之弟、贰师将军李广利为主力，李陵为偏师。李陵率军深入腹地，遇匈奴主力而被围。李广利按兵不动，致使李陵兵败投降。司马迁认为李陵是难得的将才，在武帝面前为他辩解，竟被下狱问罪，处以宫刑。这就是“李陵之祸”。 [2]缧绁（léi xiè）：原是捆绑犯人的绳索，这里指监狱。 [3]惟：思，考虑。 [4]西伯：周文王姬昌。羑（yǒu）里：今河南汤阴境内。周文王曾被商纣王囚于羑里。 [5]陈、蔡：春秋时的诸侯国。孔子周游列国，推行他的政治主张，在陈、蔡遭到围攻、断粮的困厄。 [6]《离骚》：战国时楚国爱国诗人屈原的代表作。 [7]左丘：春秋时鲁国的史官。相传《国语》是他所作。 [8]孙子：孙膑，齐国人，曾与庞涓一起从鬼谷子学兵法。后庞涓担任魏国大将，忌孙膑之才，把孙膑处以膑刑。孙膑后被齐威王任为军师，著有《孙膑兵法》。 [9]不韦：吕不韦，秦始皇的相国，后因罪去职，在奉命迁蜀的途中自杀。 [10]《吕览》：又名《吕氏春秋》，由吕不韦的门客编纂。《吕览》成书于吕不韦

迁蜀之前。　[11]韩非：韩国贵族出身，法家学说的集大成者，受到李斯馋陷，被杀于秦。　[12]《说难》、《孤愤》：《韩非子》中的两篇，均作于韩非到秦国去之前。　[13]《诗》三百篇：今本《诗经》共三百零五篇，这里是指约数。　[14]陶唐：陶唐氏，即尧。《史记》列为五帝之一。　[15]至于麟止：汉武帝元狩元年（前122），猎获白麟一只，《史记》记事即止于此年。鲁哀公十四年（前481），亦曾猎获麒麟，孔子听说后，停止了《春秋》的写作，后人称之为"绝笔于获麟"。《史记》写到捕获白麟为止，是有意仿效孔子作《春秋》的意思。　[16]黄帝：传说中中原各族的共同祖先，姬姓，号轩辕氏、有熊氏。《史记》首篇即《五帝本纪》，黄帝为五帝之首，所以这样说。

译文

于是编写《史记》。到了第七年，我因李陵之祸，被囚禁狱中。于是喟然而叹道："这是我的罪过？这是我的罪过啊！身体残毁没有用了。"可是又冷静地想了想，说："《诗》、《书》含义隐微而言辞简约，是作者想要表达他们的心志和情绪。从前周文王被拘禁羑里，推演了《周易》；孔子遭遇陈、蔡的困厄，作有《春秋》；屈原被放逐，著了《离骚》；左丘明双目失明，才编撰了《国语》，孙子的腿受了膑刑，却论述兵法；吕不韦被贬徙蜀郡，世上才流传《吕览》；韩非被囚禁在秦国，才写有《说难》、《孤愤》；《诗》三百篇，大都是圣人贤士抒发愤懑而作的。这些人都是心中聚集郁闷忧愁，理想主张不得实现，因而追述往事，以开示未来。"于是决心记述陶唐以来直到武帝获麟那一年的历史，而从黄帝开始写起。

赏析

《太史公自序》是司马迁为《史记》一书撰写的序言。原序由三部分组成：第一部分历叙世系和家学渊源，并概括自己前半生的经历；第二部分则表达了作者撰写《史记》的目的，是为了完成父亲的遗命，担负起“继《春秋》”以“绍明世”的使命；第三部分是抒发了自己发愤著书的情怀。本文节选了第二、第三部分。

司马迁从孔子和《春秋》谈起，继《春秋》，绍明世，固然是其父司马谈的遗嘱，同时也是司马迁的自我期许。他写《史记》，是以孔子著《春秋》自比。《春秋》乃“礼义之大宗”，司马迁也希望能够通过《史记》来承担起记录时代的使命。从“壶遂曰”到“谬矣”，是司马迁论述《史记》与《春秋》有所不同。有学者指出：“太史公明明自谓《史记》绍《春秋》而作，此处不得不作谦词者，乃以避《春秋》之刺讥也，正非与前说相悖。”确实如此，司马迁曾因为李陵辩护而获罪，因此他辩解《春秋》“非独刺讥而已”,强调《史记》与《春秋》的不同,乃是为了避祸。文章的最后，司马迁剖白了自己遭受李陵之祸后的心路历程。在经历了万念俱灰的煎熬之后，他决定向圣人先贤学习，发愤著书，以“述往事，思来者”。

思考讨论

补充阅读《史记》的其他篇目，体会司马迁的“春秋笔法”。

霍光传

（东汉）班固[1]

霍光字子孟，票骑将军去病弟也[2]。父中孺[3]，河东平阳人也[4]，以县吏给事平阳侯家[5]，与侍者卫少儿私通而生去病。中孺吏毕归家[6]，娶妇生光，因绝不相闻[7]。久之，少儿女弟子夫得幸于武帝[8]，立为皇后，去病以皇后姊子贵幸。既壮大，乃自知父为霍中孺，未及求问。会为票骑将军击匈奴，道出河东，河东太守郊迎，负弩矢先驱至平阳传舍[9]，

遣吏迎霍中孺。中孺趋入拜谒，将军迎拜，因跪曰：“去病不早自知为大人遗体也。”中孺扶服叩头[10]，曰：“老臣得托命将军，此天力也。”去病大为中孺买田宅奴婢而去。还，复过焉，乃将光西至长安[11]，时年十余岁，任光为郎[12]，稍迁诸曹侍中[13]。去病死后，光为奉车都尉光禄大夫[14]，出则奉车，入侍左右，出入禁闼二十余年[15]，小心谨慎，未尝有过，甚见亲信。

注释

[1] 班固（32—92）：字孟坚，扶风安陵（今陕西咸阳）人。著名史学家，历时二十多年著《汉书》，语言精练，结构紧严，人物刻画细腻，对于后代史传文学有一定影响。本文节选自《汉书·霍光金日磾传》。 [2] 票骑：官名，位次丞相，主管征伐。去病：霍去病，汉武帝时的名将，六次出击匈奴，立下赫赫战功，拜票骑将军，封冠军侯。 [3] 中：通“仲”。 [4] 河东：郡名，今山西境内黄河以东之地。平阳：地名，故城在今山西临汾西北。[5] 以县吏：凭着县吏的身份。给事：供事，供使唤。平阳侯：曹参的后人。 [6] 吏毕：在平阳侯家给事完毕。 [7] 绝：断绝关系。 [8] 女弟：即妹妹。幸：宠爱。 [9] 传舍：古代的旅舍。 [10] 扶服：同“匍匐”，伏地而行。 [11] 将：带着。[12] 任：保举。汉制：吏二千石以上视事满三年，得保举弟或子一人为郎。 [13] 稍：逐渐。迁：升官。侍中：官名。

[14] 奉车都尉：官名，掌皇帝所乘的车驾，皇帝出行时要随车驾侍奉。光禄大夫：官名，掌顾问应对。这是说霍光做了奉车都尉兼光禄大夫。　　[15] 禁闼（tà）：皇宫中的门。皇帝所居之处，门禁森严，所以叫禁闼。闼，门。

译文

霍光表字子孟，是票骑将军霍去病的弟弟。父亲霍中孺，是河东郡平阳县人，以县吏的身份替平阳侯家办事，跟侍女卫少儿私通生下了霍去病。霍中孺供事完毕后回家，娶妻生下霍光，于是与卫少儿母子断绝了联系。多年以后，卫少儿的妹妹卫子夫受到汉武帝宠幸，立为皇后，霍去病因为是皇后姊姊的儿子而尊贵得宠。长大以后，才知道自己的父亲是霍中孺，还没顾上探访寻问，正好任票骑将军出击匈奴，路经河东郡，河东太守到郊外迎接，他背着弓箭先驱马到平阳旅舍，派手下人迎接霍中孺。霍中孺急步进来拜见，将军也下拜迎候，跪着说：“去病没能早知道自己是您所生。”霍中孺伏在地上叩头，说：“老臣能够把后半辈子托付给将军，这是老天的力量啊。”霍去病为霍中孺置买了大量的土地、房屋、奴婢而去。回来时，再次去探望霍中孺，还带着霍光西行来到了长安，当时霍光才十几岁，霍去病保举他为郎官，不久又升到诸曹侍中。霍去病死后，霍光任奉车都尉兼光禄大夫，武帝出行他就照管车马，回宫就侍奉在左右，出入宫门二十多年，小心谨慎，未曾有什么过错，很受到武帝亲近和信任。

征和二年[1]，卫太子为江充所败[2]，而燕王旦、广陵王胥皆多过失[3]。是时上年老，宠姬钩弋赵倢

伃有男[4]，上心欲以为嗣，命大臣辅之。察群臣唯光任大重[5]，可属社稷[6]。上乃使黄门画者画周公负成王朝诸侯以赐光[7]。

注释

[1] 征和：汉武帝年号。征和二年即公元前 91 年。　[2] 卫太子：卫皇后所生，名刘据，谥戾，所以又称戾太子。江充：武帝拜他为直指绣衣使者，因事与太子不和。征和二年，武帝病，江充见武帝年老，恐武帝死后自己为太子所杀，因而想陷害太子，奏称武帝的病是由于巫蛊。于是武帝派江充为使者，查办巫蛊。江充在太子宫里掘蛊，诬称掘得桐木人。太子很害怕，把江充给杀了。后太子被丞相带兵围攻，太子兵败，自缢而死。　[3] 燕王旦：武帝第三子。卫太子死，武帝次子又早死，旦自以为按次第当立为太子，于是上书请求到京在宫禁中值宿护卫。武帝很生气，把他的使者下到狱中。旦后来又因隐藏亡命徒而犯法，武帝对他更为憎恶，本文所说“多过失”当指此。广陵王胥：武帝第四子，行为放荡，不守法度，所以也说他“多过失”。　[4] 钩弋：汉官名。倢伃：通“婕妤”，女官名。赵倢伃住钩弋宫，所以称“钩弋赵倢伃”，赵倢伃是汉昭帝的母亲。　[5] 大：指大事。重：指重要的任务。　[6] 属社稷：拿社稷委托给他。社稷，土神和谷神，借指国家。　[7] 黄门：宫中官署名，有黄门侍郎等官，专门在宫内服务侍奉皇帝。画者：画工。

译文

征和二年，卫太子因受到江充的诬陷而自杀，而燕王旦、广陵王胥又都有很多过失。这时武帝已年老，他的宠妃钩弋宫赵倢伃有个儿子，武帝心里想让他继承皇位，命大臣辅助他。仔细观察众大臣，只有霍光能负此重任，可以把国家大事托付给他。武帝就叫黄门画工画了一幅周公抱着成王接受诸侯朝见的图画赐给霍光。

后元二年春[1]，上游五柞宫[2]，病笃，光涕泣问曰："如有不讳[3]，谁当嗣者？"上曰："君未谕前画意邪？立少子，君行周公之事。"光顿首让曰："臣不如金日磾[4]。"日磾亦曰："臣外国人，不如光。"上以光为大司马大将军，日磾为车骑将军，及太仆上官桀为左将军[5]，搜粟都尉桑弘羊为御史大夫[6]，皆拜卧内床下[7]，受遗诏辅少主。明日，武帝崩，太子袭尊号[8]，是为孝昭皇帝。帝年八岁，政事壹决于光[9]。

注释

[1] 后元二年：公元前 87 年。后元，汉武帝最后一个年号。 [2] 五柞（zuò）宫：汉武帝所造行宫，在今陕西周至东南。 [3] 不讳：不可避讳的事，指死。 [4] 金日磾：字翁叔，本来是匈奴休屠王太子，昆邪王杀休屠王降汉，他和母亲、弟弟归顺汉廷，在黄门养马，后被武帝重用。武帝临终，遗诏封为秺（dù）侯，拜为车骑将军。 [5] 上官桀：字少叔，陇西上邽人（今甘肃天水）。左将军：官名，位次上卿，主管征伐。 [6] 桑弘羊：西汉洛阳

（今河南洛阳东）人，武帝时制定、推行盐铁酒类的官营政策，抑止富商巨贾的势力。　[7]卧内：卧室。　[8]袭尊号：承袭皇帝这个尊号。　[9]壹：一切。

译文

后元二年春天，武帝出游五柞宫，得了重病，霍光流着泪抽泣地问道："如果有不可避免的事，该谁继承皇位？"武帝说："你不明白上次图画的意思吗？立小儿子，你像周公那样辅佐他。"霍光叩首说："我不如金日磾。"金日磾则说："我是异族人，不如霍光。"武帝让霍光任大司马大将军，金日磾任车骑将军，太仆上官桀仕左将军，搜粟都尉桑弘羊任御史大夫，都拜伏在卧室内的床下，接受遗诏辅佐少主。第二天，武帝驾崩，太子继承天子的尊号，就是孝昭皇帝。昭帝年仅八岁，国家大事全由霍光决断。

光为人沉静详审，长财七尺三寸[1]，白皙，疏眉目，美须髯。每出入，下殿门，止进有常处[2]，郎仆射窃识视之，不失尺寸，其资性端正如此。初辅幼主，政自己出，天下想闻其风采。殿中尝有怪，一夜群臣相惊，光召尚符玺郎[3]，郎不肯授光。光欲夺之，郎按剑曰："臣头可得，玺不可得也！"光甚谊之[4]。明日，诏增此郎秩二等[5]。众庶莫不多光[6]。

注释

[1]财:通“才”,仅仅,只。 [2]止:停步。进:行进。常处:固定的地点。 [3]尚符玺郎:掌管帝王符节、玉玺的郎官。 [4]谊:通“义”,认为……有节义。 [5]秩:官吏的俸禄,引申为职位、品级。 [6]众庶:老百姓。

译文

霍光为人沉着冷静、细致慎重,身高才七尺三寸,皮肤白皙,眉目清秀,须髯很美。每次进出宫廷和下殿出门的时候,停步和行进的地方都有一定的位置,郎官和仆射暗中做了标记一看,尺寸丝毫不差,他的秉性就是这样端正。最初辅佐幼主,政令都由他亲自发出,天下人都想望他的风采。宫殿中曾出现过怪异的现象,群臣一整夜都很惊慌,霍光召来尚符玺郎要玺,郎官不肯交给霍光。霍光想夺玺,郎官手按着剑把说:“臣子的头可以得到,国玺你不能得到!”霍光认为他很忠义。第二天,皇帝下命令把这位郎官提升两级。老百姓没有不称颂霍光的。

光与左将军桀结婚相亲[1],光长女为桀子安妻。有女年与帝相配[2],桀因帝姊鄂邑盖主[3],内安女后宫为倢伃[4],数月立为皇后。父安为票骑将军,封桑乐侯。光时休沐出,桀辄入代光决事。桀父子既尊盛,而德长公主。公主内行不修,近幸河间丁外人。桀、安欲为外人求封,幸依国家故事以列侯尚公主者,光不许。又为外人求光禄大夫,欲令得

召见，又不许。长主大以是怨光。而桀、安数为外人求官爵弗能得，亦惭。自先帝时，桀已为九卿[5]，位在光右。及父子并为将军，有椒房中宫之重[6]，皇后亲安女[7]，光乃其外祖，而顾专制朝事，由是与光争权。

注释

[1]结婚：结为儿女亲家。　[2]相配：相当。　[3]因：依靠。鄂邑盖主：武帝长女、汉昭帝的大姊，即下文的“长公主”。　[4]内：通“纳”，送进去。　[5]九卿：秦汉以奉常、郎中令、卫尉、太仆、廷尉、典客、宗正、治粟内史、少府为九卿。武帝时上官桀曾为太仆。　[6]椒房：皇后所居之处。以椒和泥涂壁，取其温暖芳香。中宫：指皇后的宫，这里椒房、中宫都指皇后。　[7]亲安女：意思是上官安的亲生女。

译文

霍光跟左将军上官桀是缔结婚姻的亲家，霍光的长女是上官桀儿子上官安的妻子。他们的女儿年纪跟昭帝正相配，上官桀依靠昭帝的大姊鄂邑盖主把上官安的女儿送进后宫成了婕伃，几个月以后立为皇后。父亲上官安当上了票骑将军，封桑乐侯。霍光有时休息沐浴离开朝廷，上官桀就进宫代替霍光决定政务。上官桀父子位尊势盛以后，自然感激长公主的恩德。公主私生活不太检点，宠幸河间郡的丁外人。上官桀、上官安想替丁外人求个封爵，希望按照国家以列侯匹配公主的惯例，霍光不同意。又为丁外人求光禄大夫之职，想让他能得到皇帝召见，霍光也不同意。长公主为此对霍光大为怨恨。而上官桀、上官安多次为丁外人求官爵不能得到，也感到惭愧。在武帝时，上官桀已经是九卿，官位在霍光之上。现在父子又都是将军，有椒房中宫的关系可以倚重，皇后是上官安的亲生女儿，霍光只是她的外祖父，反而独揽朝政，因此，上官桀就跟霍光争起权来。

燕王旦自以昭帝兄，常怀怨望。及御史大夫桑弘羊建造酒榷盐铁[1]，为国兴利，伐其功[2]，欲为子弟得官，亦怨恨光。于是盖主、上官桀、安及弘羊皆与燕王旦通谋，诈令人为燕王上书，言："光出都肄郎、羽林[3]，道上称跸[4]，太官先置。"又引苏武前使匈奴[5]，拘留二十年不降，还乃为典属国[6]，而大将军长史敞亡功为搜粟都尉[7]。"又擅调益莫府校尉[8]。光专权自恣，疑有非常，臣旦愿归符玺，入宿卫，察奸臣变。"候司光出沐日奏之。桀欲从中下其事，桑弘羊当与诸大臣共执退光。书奏，帝不肯下。

注释

[1]酒榷（què）：政府对酒实行专营、专卖。　[2]伐：自我夸耀。　[3]都：总。肄（yì）：练习。羽林：指羽林军（汉

代保卫宫禁的军队)。这是说把郎官和羽林军集合起来操练演习。
[4]跸(bì):古代帝王出行时,禁止行人往来,叫作跸。
[5]又引:又云。　　[6]典属国:官名,掌管来归附的各外族属国。
[7]长史:汉代丞相、太尉、御史大夫、将军、边郡太守的属官。敞:即杨敞。本在大将军幕府为军司马,经霍光数次迁升,最后做到丞相。　　[8]擅:专,这里有独断专行的意思。调:选。益:增加。莫府:即幕府,军队出征,要住在帐幕里,所以将军府也叫幕府。校尉:武官名。

译文

燕王旦自以为是昭帝兄长,常怀着怨意。再说御史大夫桑弘羊建立了酒业专卖和盐铁专利,为国家增加了财政收入,自以为功高,想为儿子兄弟谋官而不得,也怨恨霍光。于是盖主、上官桀、上官安和桑弘羊都和燕王旦勾结密谋,叫人冒充替燕王上书,说:"霍光把郎官和羽林骑集合起来操练,在路上僭用皇帝的礼仪,出发前安排宫中太官先行。"又说:"苏武过去出使匈奴,被扣留了二十年不投降,回来才做了典属国,而大将军部下长史杨敞没立功就当了搜粟都尉。又擅自增调将军府的校尉。霍光专权,怀疑他有图谋不轨之心。臣子愿意归还符节玺印,进宫参加值宿警卫,提防奸臣的意外之变。"他乘霍光休假的日子上书。上官桀打算从宫禁中把奏书交给下面负责的官员,桑弘羊就可以跟其他大臣一起胁迫罢黜霍光。奏书送上去,昭帝不肯交给下面。

明旦,光闻之,止画室中不入[1]。上问:"大将军安在?"左将军桀对曰:"以燕王告其罪,故不敢入。"有诏召大将军。光入,免冠顿首谢,上曰:"将

军冠。朕知是书诈也，将军亡罪。”光曰：“陛下何以知之？”上曰：“将军之广明都郎[2]，属耳[3]。调校尉以来，未能十日，燕王何以得知之？且将军为非，不须校尉。”是时帝年十四，尚书、左右皆惊[4]，而上书者果亡，捕之甚急。桀等惧，白上：“小事不足遂[5]。”上不听。后桀党与有谮光者[6]，上辄怒曰：“大将军忠臣，先帝所属以辅朕身，敢有毁者，坐之[7]。”自是桀等不敢复言，乃谋令长公主置酒请光，伏兵格杀之[8]，因废帝，迎立燕王为天子。事发觉，光尽诛桀、安、弘羊、外人宗族。燕王、盖主皆自杀。光威震海内。昭帝既冠[9]，遂委任光，讫十三年[10]，百姓充实，四夷宾服。

注释

[1] 画室：指殿前西阁之室，西阁画古帝王像，所以称画室。[2] 广明：亭名，在长安城东东都门外。[3] 属：近，指近时，就是说时间很近。[4] 尚书：皇帝左右掌管文书章奏的官。[5] 遂：竟，指追究到底。[6] 党与：同党的人。谮（zèn）：诬陷。[7] 坐之：这是说要叫他因陷害人而获罪。坐，犯罪。[8] 格：击。[9] 冠：古代男子成年举行加冠礼，一般在二十岁。[10] 讫（qì）：终。昭帝在位共十三年，国政都由霍光主持，所以说“讫十三年”。

译文

第二天早上，霍光听说这件事，停留在画室中不进宫。昭帝问：“大将军在哪里？”左将军上官桀回答：“因为燕王告发他的罪状，所以不敢进来。”昭帝下诏召大将军。霍光进宫，除下官帽叩头告罪，昭帝说：“将军请戴上帽子。我知道这奏书所说的是假的，将军无罪。”霍光说：“陛下怎么知道的？”昭帝说：“将军到广明亭去，召集郎官部属是最近的事情。选拔校尉到现在不到十天，燕王怎么能知道呢？况且将军要干坏事，也不需要增加校尉。”当时昭帝才十四岁，尚书和左右的人都感到惊讶，而上奏书的人果然失踪了，追捕得很紧。上官桀等人害怕了，对昭帝说：“小事不值得追究。”昭帝不听。这以后上官桀的党羽有说霍光坏话的，昭帝就发怒说：“大将军是忠臣，先帝嘱托他辅佐我的，有谁敢诽谤就办他的罪。”从此上官桀等人不敢再讲了，就计划让长公主摆宴席请霍光，埋伏兵士击杀他，乘机废昭帝，迎立燕王做天子。事情被发觉，霍光诛灭了上官桀、上官安、桑弘羊、丁外人的全族。燕王、盖主都自杀了。霍光威震海内。昭帝年满二十举行冠礼以后，还是把政事委托给霍光，共十三年，百姓衣丰食足，四夷归顺服从。

赏析

《霍光传》主要写霍光受汉武帝托孤之后，经过复杂尖锐的斗争，完成了辅佐昭帝、废昌邑王、立宣帝这三件大事，通过这三件事就把霍光的一生很形象地刻画了出来。霍光“沉静详审”的性格，是人物身上最大的特点，也是贯穿全文的一条线索。作者大力赞扬的霍光对于汉王朝的忠诚，但也在文中点明了霍氏党羽盘踞朝廷，为霍氏的覆灭埋下了伏笔。文章描写细致生动，有声有色，使得霍光这一人物形象跃然纸上。

思考讨论

试比较司马迁和班固在塑造人物形象上的异同。

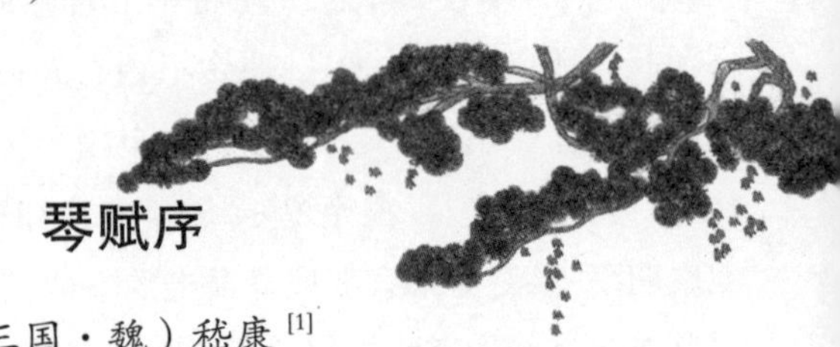

琴赋序

（三国·魏）嵇康[1]

余少好音声，长而玩之[2]。以为物有盛衰，而此无变；滋味有厌[3]，而此不倦[4]。可以导养神气[5]，宣和情志[6]，处穷独而不闷者[7]，莫近于音声也。是故复之而不足，则吟咏以肆志[8]；吟咏之不足，则寄言以广意[9]。然八音之器[10]，歌舞之象[11]，历世才士，并为之赋颂。其体制风流[12]，莫不相袭。称其材干[13]，则以危苦为上[14]；赋其声音，则以悲哀为主；美其感化，则以垂涕为贵。丽则丽矣，然未尽其理也。推其所由，似元不解音声；览其旨趣[15]，亦未达礼乐之情也。众器之中，琴德最优，故缀叙所怀[16]，以为之赋。

注释

[1] 嵇康（223—262）：字叔夜，“竹林七贤”之一。曾为中散大夫，故世称嵇中散。学问渊博，性格刚直，疾恶如仇。他的散文长于辩论，思想新颖，析理绵密，笔锋犀利，往往带有愤世嫉俗的情绪。 [2] 玩：玩习。 [3] 厌：满足。 [4] 倦：倦怠。 [5] 导养神气：即修身养性，陶冶情操。 [6] 宣和：疏通调和。 [7] 穷独：贫困孤独。 [8] 肆志：抒发心志。 [9] 寄言以广意：指采用文字语言来阐发对于音乐的爱好之情。 [10] 八音：指以金、石、丝、竹、匏、土、革、木等材料制成的乐器所发出的乐声。 [11] 象：形象，情状。 [12] 体制：诗文书画的体裁、格调。风流：风格流派。 [13] 材干：此处指思想内容。 [14] 危苦：危急困苦。 [15] 旨趣：宗旨，大意。 [16] 缀：连缀，连结。叙：描述。

译文

我从小喜欢音乐，长大以后一直玩味研习。我认为万物都有盛衰之变，但对音乐的爱好却不会改变；美味会有令人腻烦的时候，而对音乐的爱好却永不会厌倦。音乐可以修身养性，陶冶情操，疏通调和情志，能使处于穷困孤独的人不觉得苦闷，没有比音乐更亲近的了。因此，反复玩味仍然感到不满足，就用吟咏歌唱来抒发心志；吟咏歌唱还不能尽兴，就通过言辞来阐述自己的思想。然而各种乐器和舞蹈的形象，历代才俊志士都为它们写过不少赋颂佳作，但那些文章的体裁风韵，没有不是沿袭前人的：称赞它的材料主干，就认为经受艰难困苦考验的最好；形容声音，就以悲哀为主；称赞音乐的美感教化作用，就以催人泪下为贵。这些言辞美是美，然而却不能说清音乐的理趣。推究其原由，好像根源还在于不能解析音乐的奥妙；看文章的宗旨大意，也未能通达礼乐的情趣啊。众多乐器中，琴的德性最为优秀。因此我把心中所想的叙述出来，编写起来，作为一篇《琴赋》。

赏析

《琴赋》是一篇咏物的辞赋，是嵇康的代表作之一。文章对琴的制作、弹奏、感染力等方面进行了形象的描绘。嵇康于琴道造诣精深，深得其中三昧，因此在描写琴声的悠扬、节奏的变化、声音的感染力等方面可谓妙句迭出，精彩纷呈。在这篇序言里，作者总述了自己对于音乐的深挚热爱和独特见解，点明自己对音乐的爱好从小时候开始，从未间断。他把美食与音乐作对比，美味会使人厌倦，而音乐则永远不会使人感到倦怠，极写音乐的魅力。嵇康认为，音乐的作用在于使人修身养性，疏通情感，从而净化心灵。《琴赋》一文选入《文选》音乐类，李善作注："《尸子》曰：'舜作五弦之琴，以歌《南风》：'南风之薰兮，可以解吾人之愠。'是舜歌也。'《白虎通》曰：'琴者，禁也。禁人邪恶，归于正道，故谓之琴。'" 可见，关于音乐能够净化人心，表达人的理想志趣这一功用，是得到广泛认可的。而嵇康的《琴赋》，则是反映这一音乐思想的代表作之一，也是辞赋中描写音乐的名篇之一。

思考讨论

读读《琴赋》全文，谈谈嵇康描写音乐的高妙手法。

闲居赋序

（西晋）潘岳[1]

岳尝读《汲黯传》[2]，至司马安四至九卿[3]，而良史书之[4]，题以巧宦之目[5]，未尝不慨然废书而叹曰[6]：嗟乎！巧诚有之[7]，拙亦宜然[8]。顾常以为士之生也[9]，非至圣无轨[10]，微妙玄通者[11]，则必立功立事[12]，效当年之用[13]。是以资忠履信以进德[14]，修辞立诚以居业[15]。

注释

[1]潘岳（247—300）：字安仁，曾任河阳令、著作郎、给事黄门侍郎等职，后为赵王司马伦及孙秀所杀。在当时以善写哀诔文字著称，所作诗赋辞藻华丽，长于抒情。 [2]汲黯：字长孺，濮阳（今河南濮阳西南）人，出身仕宦世家。汉景帝时为太子洗马，汉武帝时，初为荥阳令，后任东海太守，好黄老之言，无为而治，东海被治理得秩序井然。于是召为主爵都尉，列九卿，后迁左内史。因“坐小法”而免官，隐居田园数年。后出任淮阳太守，不久病死。 [3]司马安：《史记》记载，司马安与汲黯是表兄弟关系，《汉书》记载汲黯是司马安的舅舅，谁是谁非，无从确证。九卿：古代中央政府的九个高级官职。 [4]良史：优秀的史官，这里可能指司马迁。《汉书·司马迁传》：“然自刘向、扬雄博极群书，皆称迁有良史之材……其文直，其事核，不虚美，不隐恶。” [5]巧宦：

善于钻营做官。　[6]慨然：感慨的样子。废书：放下书，这里指中止阅读。语出司马迁《史记·孟子荀卿列传序》："余读《孟子》书，至梁惠王问'何以利吾国'，未尝不废书而叹也。"　[7]诚：假如。　[8]宜然：应该这样。　[9]顾：乃。　[10]无轨：没有常规或定则。　[11]微妙：精微深奥。玄通：与天相通。　[12]立功：建树功绩，建立功劳。立事：建功立业。　[13]效：致，实现。当年：本年，当时。　[14]资忠：实行忠义之道。进德：增进道德。《周易》云："忠信，所以进德也。"　[15]修辞：修饰文辞。诚：诚信。居业：保有功业。《周易》云："修辞立其诚，所以居业也。"

译文

我曾经阅读《汲黯传》，读到司马安四次高升，位列九卿，看见记事信实的史家评论他，把他放在"巧宦"这一项目内。我不能不愤慨地放下书感叹地说："唉，巧宦有官职变动频繁的情况，拙宦也是这样。"我认为士生于世，如果不是圣人，能够不按常规、深谙精微深奥之理能与天相通，那就一定要建功立业，使效用当年实现。因此，用恪守忠诚实行信义来增进道德，外饰文辞、内立其诚来保有功业。

仆少窃乡曲之誉[1]，忝司空太尉之命[2]，所奉之主，即太尉鲁武公其人也，举秀才为郎[3]；逮世祖武皇帝[4]，为河阳、怀令、尚书郎、廷尉平。今天子谅暗之际[5]，领太傅主簿[6]，府主诛[7]，除名为民[8]。俄而复官，除长安令，迁博士，未召拜[9]，

亲疾辄去官。岳自弱冠涉乎知命之年[10]，八徙官而一进阶[11]，再免，一除名，一不拜职，迁者三而已矣。虽通塞有遇[12]，抑亦拙者之效也。

注释

[1] 乡曲：家乡、故里。　[2] 忝：辱，这里是谦词。司空太尉：指晋初的贾充。贾充先任司空，后转为太尉。　[3] 举：举荐。贾充举荐潘岳为秀才。　[4] 逮：及，到。　[5] 谅暗：本指居丧时所住的房子，用来借指皇帝居丧，这里指晋武帝新丧。晋惠帝居丧。　[6] 太傅主簿：太傅的属官，这里指太傅府杨骏主簿。晋武帝死后，武帝杨皇后的父亲杨骏为太傅，晋惠帝元康元年（291），杨骏被楚王玮等所杀。　[7] 府主：府中官员称其长官的敬辞，这里指杨骏。　[8] 除名：除去官员名籍。　[9] 召拜：征拜，任命。　[10] 弱冠：古时以男子二十岁为成人，初加冠。因体犹未壮，故称弱冠。知命：五十岁的代称，语出孔子“五十而知天命”。　[11] 进阶：进升官阶。　[12] 通塞：指境遇的困达和顺逆。

译文

我年少时就取得了乡里的声誉，辱没了司空太尉荐举之情，我所侍奉的主人，就是太宰鲁武公这个人，当时我被他推举为秀才之后做了侍郎。等到了武皇帝时，我先后担任河阳县令、怀县县令、尚书郎、廷尉平等职位。现在的天子惠帝为武皇帝居丧时，我接受了太傅杨骏主簿的职务。府主被杀后，我也被除名为民，不久复官，被任命为长安令，后来升为博士，但未受召拜职，那是因为母亲生病，就辞职了。我从二十岁到五十岁，八次调动官职，其中一次升官、两次免职、一次除名、一次没有应召、三次平职调动啊。虽然境遇的困达顺逆都遇到过，可也是“拙”的表现了。

昔通人和长舆之论余也[1]，固谓拙于用多[2]。称多，则吾岂敢，言拙，信而有征。方今俊乂在官[3]，百工惟时[4]，拙者可以绝意乎宠荣之事矣[5]。太夫人在堂，有羸老之疾，尚何能违膝下色养而屑屑从斗筲之役乎[6]？于是览止足之分[7]，庶浮云之志，筑室种树，逍遥自得。池沼足以渔钓，舂税足以代耕[8]；灌园鬻蔬[9]，以供朝夕之膳。牧羊酤酪，以俟伏腊之费[10]。孝乎惟孝友于兄弟，此亦拙者之为政也。乃作闲居之赋，以歌事遂情焉[11]。

注释

[1]通人：学识渊博通达之人。和长舆：指晋人和峤，字长舆，汝南西平（今属河南）人。《晋书·和峤传》说他“为人厚自崇重，有盛名于世，朝野许其能整风俗、理人伦”。　[2]多：指多才多艺。　[3]俊乂（yì）：才德出众的人。　[4]百工：百官。　[5]宠荣之事：指在仕途上受恩宠而获得功名利禄的事。　[6]色养：指子女和颜悦色奉养父母。屑屑：劳瘁急迫的样子。斗筲之役：比喻低微、卑贱的职务。　[7]止足：谓凡事知止知足，不要贪得无厌。语出《老子》：“知足不辱，知止不殆，可以长久。”分：

合适的界限。　[8]舂税：指舂谷取利。代耕：指以舂税谋生，以代农耕所入。　[9]鬻（yù）：卖。　[10]伏腊：指伏祭和腊祭之日。　[11]遂情：抒情。

译文

从前博览古今的和长舆说起我来，说我本来就不善于使用自己的多才多艺。说我“多”，我不敢当；说我“拙”，确实是有证明的。如今都是才德出众的人担任官职，各位官员都很合时宜，像我这样拙迂的人就对宠幸荣耀的事断绝念头了。我的老母亲还在，却年老体弱多病，哪里能不在她老人家膝下尽孝，而忙忙碌碌地去从事职位低贱的差使呢？于是我要把握知足的界限，增添财富于我如浮云的志节，修建房屋栽种树木，过一种悠然自得、安闲自在的生活。池塘沼泽足够我去渔钓，舂谷所得足够代替农耕；担水灌溉菜园以卖蔬菜，并且供应早晚饮食，放牧羊群，卖乳酪，来积攒夏冬两祭的祭祀之费。孝顺父母，友爱兄弟，这就是我这样不善于做官的人参与政治的方式。于是写下这一篇《闲居赋》，以歌咏辞官闲居的生活，并表达自己的内心情感。

赏析

晋惠帝元康六年（296），潘岳由长安令召入洛阳为博士，但因为母亲有病，他辞官归里，闲居洛阳。当时他五十岁，作《闲居赋》，描写了他筑屋种树、闲居读书的逍遥生活，回顾了几十年来坎坷的仕途经历。

本文为《闲居赋》的序言，述说了作赋的思想动机，可以分为四层来理解。第一层提出了自己的政治理想：“资忠履信以进德，修辞立诚以居业。”第二层叙述了自己五十岁前仕途的坎坷经历，

即“八徙官而一进阶，再免，一除名，一不拜职，迁者三而已矣”，从而表明自己在经历过境遇的困达顺逆之后，仍然是一个不懂投机钻营的拙迂之人。第三层提出了要归隐闲居的愿望。贤德之人在朝主政，本就不需要拙迂之人，再加上要侍奉年老多病的母亲，因此作者决定要隐居赋闲。第四层描述了作者想象中的隐逸生活。垂钓耕种，自给自足，颇有一番与世无争、世外桃源的趣味。

思考讨论

《世说新语·文学篇》载孙绰曾说:“潘文烂若披锦,无处不善。”又说:“潘文浅而净。”补充阅读《闲居赋》，谈谈潘岳的文风特点。

与朱元思书

（南朝·梁）吴均[1]

风烟俱净[2]，天山共色[3]。从流飘荡，任意东西。自富阳至桐庐[4]，一百许里[5]，奇山异水，天下独绝。

注释

[1]吴均（469—520）：字叔庠。家世寒贱，好学有俊才。所作诗文，多描绘山水景物，文辞清拔，格调隽永，时人仿效之，号“吴均体”。 [2]风烟：指风和雾。俱：全，都。净：消散。[3]共色：一样的颜色。 [4]富阳、桐庐：今均属浙江。[5]许：表示大约的数量。

译文

风尘烟霭全部散尽，天空与远山都显现着同样清澄的颜色。我乘船随水流漂浮荡漾，任凭它时而向东，时而向西。从富阳到桐庐，一百多里水路，奇峭的山峰和奇异的流水，天下独一无二。

水皆缥碧[1]，千丈见底。游鱼细石，直视无碍。急湍甚箭[2]，猛浪若奔。夹岸高山，皆生寒树，负势竞上[3]，互相轩邈[4]，争高直指，千百成峰。泉水激石，泠泠作响[5]；好鸟相鸣，嘤嘤成韵[6]。蝉则千转不穷[7]，猿则百叫无绝。鸢飞戾天者[8]，望峰息心；经纶世务者[9]，窥谷忘反。横柯上蔽[10]，在昼犹昏；疏条交映[11]，有时见日。

注释

[1] 缥（piǎo）：青白色。　[2] 急湍：流得很急的水。甚箭：比箭还要快。　[3] 负势：恃势。势，指山水的气势。　[4] 互相轩（xuān）邈（miǎo）：指彼此争较谁高谁远。　[5] 泠（líng）泠：清脆的流水声。　[6] 嘤（yīng）嘤：鸟鸣声。韵：和谐的声音。[7] 转（zhuàn）：通“啭”，鸣叫。　[8] 鸢（yuān）飞戾（lì）天：出自《诗经·大雅·旱麓》：“鸢飞戾天，鱼跃于渊。”这里“鸢飞戾天者”是指在政治上追求高位的人。　[9] 经纶（lún）世务：指从政做官。经纶，经营之意。　[10] 柯（kē）：树枝。[11] 疏条：稀疏的树木枝条。交映：互相掩映。

译文

江水都呈一片青苍之色，即使千丈深也能清澈见底。游鱼、细石都可以看得清清楚楚。急流的江水比箭还快，迅猛的大浪势如奔马。两岸的高山上全都生长着阴森森的树木；山峦凭借着地势争着向上，互相竞赛向高处和远处伸展。它们笔直向上，形成千百座山峰。泉水冲击着岩石，泠泠地发出声响。美丽的百鸟相向和鸣，鸣声嘤嘤，和谐动听。蝉儿长时间地叫个不停，猿猴也千百遍啼叫不断。那些在政治上追求名利的人，看到这些雄奇的高峰，就会平息追求功名利禄的心；那些忙于从政做官的人，看到这些幽美的山谷也会流连忘返。横斜的树枝在上面遮蔽着，即使是在白天也像黄昏时那样昏暗；稀疏的枝条交相掩映，有时也会漏下一些阳光。

赏析

这是一篇书信体的写景文，文章叙写了自富阳到桐庐途中所看到的景色，把水光山色之美描绘得清新动人，不禁令人神往。第一段“风烟”八句，总写了途中的山水之美，用简洁的笔墨，勾画了天光山色的澄净开阔，抒发了作者惬意的心情。从“水皆缥碧”到“猛浪若奔”六句，写的是江水之异。这江水时而静流澄澈，时而又浪涛湍急，着实突出了一个“异”字。从“夹岸高山”起，写的是江岸的奇山。只见群山掩映在密布的寒树中，峰峦林立，有刺破天穹之势。山谷中泉水潺潺，鸟鸣成韵，蝉鸣、猿啼声声不绝，生机勃勃，美妙动人。在这样的自然美景之中，汲汲于名利之人也会息心忘返。

整篇文章语言清新秀丽，动静、声色、光影、情景交融在一起，呈现了一幅诗情画意的山水长卷。这是一篇优秀的骈体文，堪称六朝山水小品中的名作。

思考讨论

1. 试着诵读本文，感受骈散语句的节奏、音韵之美。
2. 试分析作者是如何写景的。

第四章　小说

列异传

宋定伯

南阳宋定伯[1]，年少时，夜行逢鬼。问之，鬼言:“我是鬼。”鬼问:“汝复谁？”定伯诳之[2]，言:“我亦鬼。”鬼问:“欲至何所？”答曰:“欲至宛市[3]。”鬼言:“我亦欲至宛市。”遂行数里。鬼言:“步行太迟，可共递相担[4]，何如？”定伯曰:“大善。”鬼便先担定伯数里。鬼言:“卿太重[5]，不是鬼也！”定伯言:“我新鬼，故身重耳。”定伯因复担鬼，鬼略无重[6]。如是再三。

注释

[1] 南阳:郡名，在今河南西南部和湖北北部一带。郡治在宛。[2] 诳(kuáng):骗。[3] 宛市:今河南南阳。[4] 递:轮流。[5] 卿:指定伯。魏晋南北朝人朋友间称呼对方常用“卿”字，以示亲昵。[6] 略:几乎。

译文

南阳郡的宋定伯年轻的时候，有一次赶夜路碰到了一个鬼。（宋定伯）问它是谁，鬼说："我是鬼。"鬼问道："你又是谁？"宋定伯哄骗它，说："我也是鬼。"鬼问："（你）想到哪里去？"（宋定伯）回答说："想到宛市去。"鬼说："我也要到宛市去。"于是（他们）就（一同）走了几里路，鬼说："步行太慢，（我们）可以轮流背着走，怎么样？"定伯说："很好。"鬼就先背定伯（走了）几里。鬼说："你太重了，恐怕不是鬼吧？"定伯说："我是新鬼，所以身体重。"定伯便又背着鬼走，鬼几乎没有重量。像这样轮换着背了多次。

定伯复言："我新鬼，不知有何所恶忌？"鬼答曰："惟不喜人唾[1]。"于是共行。道遇水，定伯令鬼先渡，听之了然无水音。定伯自渡，漕漼作声[2]。鬼复言："何以有声？"定伯曰："新死，不习渡水故耳，勿怪！"行欲至宛市，定伯便担鬼著肩上，急执之[3]。鬼大呼，声咋咋然[4]，索下[5]。不复听之，径至宛市中[6]。下著地，化为一羊，便卖之。恐其变化，唾之。得钱千百五，乃去。

岁时有言："定伯卖鬼，得钱千五。"

注释

[1] 唾：吐口水。　　[2] 漕漼（cáo cuǐ）：涉水的声音。

[3]急：快速。执：抓牢。　　[4]咋咋：鬼惨叫的声音。

[5]索下：请求下来。　　[6]径：一直。

译文

定伯又问鬼说："我是新鬼，不知道（鬼）都有什么害怕忌讳的？"鬼回答说："只是不喜欢别人对着吐唾沫。"于是继续共同前行。途中遇到一条河，定伯叫鬼先渡，（定伯）听鬼渡河，完全听不到声响。定伯自己渡河时，发出了哗哗的响声。鬼又问："为什么有声音呢？"定伯说："（我）刚死，还不会淌水罢了，你不要大惊小怪。"（他们）走得将要到宛市了，定伯就背起鬼放在肩头上，紧紧抓住它。鬼大声喊叫，发出咋咋的声音。求（定伯）放它下来，（定伯）不再听它的话，一直走到宛市中心，把鬼扔到了地上，（鬼）立刻变作一头羊，（定伯）就卖了它，担心它又变成鬼，就向它吐唾沫。（宋定伯卖鬼）得了一千五百文钱，才离开了宛市。

当时就有传说："宋定伯卖鬼，得钱一千五。"

搜神记

三王墓

楚干将莫邪为楚王作剑，三年乃成。王怒，欲杀之。剑有雌雄。其妻重身当产[1]。夫语妻曰："吾为王作剑，三年乃成。王怒，往必杀我。汝若生

子是男，大[2]，告之曰：'出户望南山，松生石上，剑在其背。'"于是即将雌剑往见楚王[3]。王大怒，使相之[4]。剑有二，一雄一雌，雌来雄不来。王怒，即杀之。

注释

[1] 重身：双身，即怀孕。 [2] 大：长大成人。 [3] 将：携带。 [4] 相：察看。

译文

楚国的干将、莫邪夫妇替楚王造剑，过了三年才铸成。楚王发怒，要杀他。他们铸成的剑有两把，一雌一雄。干将的妻子莫邪怀有身孕，即将临产。干将对妻子说："我替王铸剑，过了三年才铸成。王很生气，送剑去的时候，王一定会杀我。你生下孩子，假若是个男孩，等他长大成人，告诉他说：'出门望着南山，松树长在石头上，剑就在它的背面。'"于是干将就带着雌剑去见楚王。楚王大发脾气，派人察看干将带来的剑，发现剑有两柄，一雄一雌。干将只带来了雌剑，雄剑却没带来。楚王大发雷霆，立刻杀掉了干将。

莫邪子名赤，比后壮[1]，乃问其母曰："吾父所在？"母曰："汝父为楚王作剑，三年乃成。王怒，杀之。去时嘱我：'语汝子，出户望南山，松生石上，

剑在其背。'" 于是子出户南望，不见有山，但睹堂前松柱下石低之上[2]。即以斧破其背，得剑，日夜思欲报楚王[3]。

注释

[1] 比：等到。 [2] 低：疑作"砥"，柱下基石。
[3] 报楚王：向楚王报仇。

译文

莫邪的儿子名叫赤，等到赤长大成人，就问自己的母亲说："我的父亲在什么地方？"母亲说："你父亲替楚王铸剑，过了三年才铸成，楚王发怒，杀了他。他临离家时嘱咐我：'告诉你的儿子，出门望着南山，松树长在石头上，剑就在它的背面。'" 于是赤出门向南望，没看到有山，只看见堂前松柱的下面是柱石。赤就用斧头劈开松柱，果然找到了剑，日夜都想着向楚王报父仇。

王梦见一儿眉间广尺[1]，言欲报雠。王即购之千金[2]。儿闻之亡去[3]，入山行歌[4]。客有逢者，谓："子年少，何哭之甚悲耶？"曰："吾干将莫邪子也，楚王杀吾父，吾欲报之。"客曰："闻王购子头千金。将子头与剑来，为子报之。"儿曰："幸甚[5]！"即自刎[6]，两手捧头及剑奉之，立僵[7]。客曰："不负子也。"于是尸乃仆[8]。

注释

[1]眉间广尺：两眉间宽达一尺。 [2]购：悬赏捉拿。 [3]亡去：逃亡。 [4]行歌：边走边唱。 [5]幸甚：好极了。 [6]刎：割，以剑割头。 [7]立僵：意谓死后身体僵硬，直立不倒。 [8]仆：倒下。

译文

楚王梦见一个男孩额头很宽，说是想要报仇。楚王就悬千金重赏，捉拿这个孩子。赤听到这个消息就逃走了，他逃进山中边走边唱。一个游客遇见赤，对赤说："你年纪这么小，为什么哭得这么悲伤呢？"赤回答说："我是干将和莫邪的儿子，楚王杀死了我的父亲，我想给他报仇。"侠客说："听说楚王悬千金重赏要得到你的头。把你的头和剑拿来，我替你向楚王报仇。"赤说："太好了！"立刻刎颈自杀，两手捧着头和剑献给侠客，身躯僵立不倒。侠客说："我不会辜负你。"于是赤的尸身才倒在地上。

客持头往见楚王，王大喜。客曰："此乃勇士头也，当于汤镬煮之[1]。"王如其言煮头，三日三夕不烂。头踔出汤中[2]，踬目大怒[3]。客曰："此儿头不烂，愿王自往临视之[4]，是必烂也。"王即临之。客以剑拟王[5]，王头随堕汤中，客亦自拟己头，头复堕汤中。三首俱烂，不可识别。乃分其汤肉葬之，故通名三王墓。今在汝南北宜春县界[6]。

注释

[1] 镬（huò）：形似鼎而无足，秦汉时用作刑具，烹有罪的人。[2] 踔（chuō）：跃。 [3] 踬（zhì）：疑作“瞋”。瞋目，瞪大眼睛。[4] 自往临视：亲自到镬旁观看。 [5] 拟：比准，对准。[6] 汝南：郡名。北宜春县：在今河南汝南，西汉时名宜春，东汉时改名北宜春。

译文

侠客拿着赤的头去见楚王，楚王非常高兴。侠客说：“这是勇士的头，应当把它放在汤镬里煮。”楚王依照侠客的话来办，煮了三日三夜头还是没煮烂。头还在沸腾的汤水上跳跃着，怒瞪着双目。侠客说：“这个男孩的头煮不烂，希望大王亲自到镬旁观看，这头就一定会煮烂。”楚王就到镬旁观看。侠客用剑对准楚王的头砍下去，楚王的头随即掉入沸水中。侠客也对准自己的头砍下，头又坠入沸水中。三个头一起煮烂了，不能识别。人们只好把鼎镬里的汤肉分成三份埋葬，所以笼统地称作三王墓。三王墓地点在现在汝南境内的北宜春县。

文史链接

中国古代小说最早源于古代神话、杂史、民间传说、人物轶事、寓言等，魏晋南北朝时期出现了一批专谈神异灵怪与人物轶事的著作，成为中国小说史上第一个重要阶段——志怪志人小说。

年代确定的志怪书，以相传曹丕所作的《列异传》最早，而《搜神记》是保存最多且具有代表性的一种。《搜神记》作者干宝，是两晋之间的史学名家，他自称作此书是为“发明神道之不诬”。

志怪小说对后代有深远的影响，从唐传奇到清代蒲松龄的《聊斋志异》，都从六朝志怪小说中吸收营养，加以创新。

思考讨论

说说《聊斋志异》对六朝志怪小说的继承与发展。

世说新语[1]

陈仲举礼贤（德行）

陈仲举言为士则[2]，行为世范，登车揽辔[3]，有澄清天下之志。为豫章太守[4]，至，便问徐孺子所在[5]，欲先看之。主簿白[6]："群情欲府君先入廨[7]。"陈曰："武王式商容之闾[8]，席不暇暖。吾之礼贤，有何不可？"

注释

[1]世说新语：南朝宋刘义庆撰，分德行、言语、政事、文学等三十六门。主要记载汉末至东晋士大夫的言谈、逸事。梁刘孝标为之作注释。　[2]仲举：名蕃，字仲举，东汉桓帝末年任太傅。当时宦官专权，他与大将军窦武谋诛宦官，未成，反被害。士：读书人。则：准则，标准。　[3]揽：拿，提。辔（pèi）：套马

的缰绳。　[4] 豫章：豫章郡，郡的首府在南昌（今江西南昌）。　[5] 徐孺子：名雅，字孺子，东汉豫章南昌人，是当时的名士、隐士，为人高洁。　[6] 主簿：掌管文书的官使，是属官之首。白：报告，禀报。　[7] 府君：对太守的敬称。廨（xiè）：官署。　[8] 式：通“轼”，古代车前用作扶手的横木，这里用作动词。商容：商纣时的大夫，当时被认为是贤人。闾：指里巷。

译文

陈仲举的言谈是读书人的准则，行为是世间的规范。他为官刚上任，就有澄清天下的志向。担任豫章太守时，一到南昌就问徐孺子住哪里，要去探望他。主簿报告：“大家伙儿的意思，是请太守您先到官府去。”陈仲举说：“周武王得到天下后，垫席都没时间坐暖，就先去贤人商容的住处表示敬意。我礼敬贤人，不先进官署，有什么不可以的呢？”

文史链接

东汉后期，宦官专权，朝政腐败，引起朝野士人的强烈不满和抗争。当时存在三种不同的政治势力，即士大夫阶层、外戚集团和宦官集团。士大夫与外戚有斗争也有联合，与宦官则完全处于对立状态。

为了反对宦官干政，士人之间“激扬名声，互相题拂”，其中突出的有在朝做官立志“澄清天下”，改变社会状况的正直之士，也有在野求名不求官的高士。在士大夫阶层也形成了一种互相标榜的风气，他们用特殊的名目来称呼一些典范或领袖式的人物，“君”是指被奉为一代之典范，陈蕃（字仲举）便是名士首领“三君”之一。据载，他不喜欢打扫居室，说：“大丈夫当为国家扫天下。”他本在朝廷中任尚书，因反对宦官专权而被贬职为豫章太守，这则故事正是记载他刚到驻地便迫不及待地要去拜访隐居在此的“南州高士”徐稺（zhì）的事迹。徐稺（字孺子），正是超世绝俗的隐居名士，他家境贫苦，但不满宦官当政而多次拒绝征聘为官。据谢承《后汉书》记载，后来，陈仲举还专为徐稺准备了一副坐榻，当徐稺离开，便悬挂起来，不准他人使用。陈蕃这样看重徐稺，不完全是通常所说的“礼贤下士”，更主要的是声气相投、政治态度一致的表现。陈蕃后来又回朝廷任太傅，谋诛宦官，因事情泄露被杀。

这则故事后来常常被当作礼贤下士的佳话，“席不暇暖”一词，也常为后人引用。

魏武捉刀（容止）

魏武将见匈奴使[1]，自以形陋，不足雄远国[2]，使崔季珪代，帝自捉刀立床头。既毕，令间谍问曰[3]：“魏王何如？”匈奴使答曰：“魏王雅望非常[4]，然床头捉刀人[5]，此乃英雄也！”魏武闻之，追杀此使。

注释

[1]魏武：即曹操。　[2]雄：称雄。远国：远方的属国。[3]间谍：密探。　[4]雅望：仪表美好。　[5]床：古代坐具。捉刀：本借指卫士，曹操之后，称代人作文或顶替人做事为“捉刀”。

译文

曹操将要接见来自匈奴的使者，但自认为自己身材相貌矮小丑陋，不足以让远方的属国慑服，于是派崔季珪代替自己，自己则拿着刀站在坐椅边。等到接见完毕，曹操派密使去问那个使者："你觉得魏王怎么样？"匈奴使者答道："魏王的风采不同寻常，然而在魏王身边拿刀的那个人，才是真正的英雄！"曹操听后，就派人追杀了这个使者。

文史链接

美容仪是魏晋时代士人普遍的追求，所以《世说新语》有《容止》篇专记有关人物的容貌、仪表、举止的故事。在这方面，曹操也不能免俗，他"姿貌短小"（刘孝标注引《魏氏春秋》），"自以形陋"，便让人代替接待使者，自己则"捉刀立床头"，这本身就很有戏剧性。不想被聪明的使者一下看破。成语"代人捉刀"即由此而来。

曹操"形陋"，然而却出现在《容止》篇的首条位置，显得格外有趣。这则故事突显了曹操的英雄气概：其貌虽然不扬，而且在会见匈奴使者的场合，其公开身份仅是一名卫士，而假冒他的崔季珪虽然"声姿高畅，眉目疏朗，须长四尺，甚有威重"（刘孝标注引《魏志》），但匈奴使者却一眼看出扮成卫士的曹操才是真正的英雄。这则故事放在《容止》篇开头，多少有点暗示作用：容仪之美不仅仅在外表，它需要内在的精神气质作为支撑。

汉魏之际，天下纷扰不安，此时凭借自己能力开创不朽事业的"英雄"反而比道德意义上的"圣贤"更受人们欢迎，这种从尊敬圣贤到崇敬英雄的风气变化，也显示了这一时代对人的智慧、勇敢精神和创造性才能的重视，这是一个社会的文化富于活力的表现。

阮籍遭母丧（任诞）

阮籍遭母丧，在晋文王坐，进酒肉。司隶何曾亦在坐，曰："明公方以孝治天下，而阮籍以重丧显于公坐饮酒食肉[1]，宜流之海外，以正风教。"文王曰："嗣宗毁顿如此[2]，君不能共忧之，何谓！且有疾而饮酒食肉，固丧礼也[3]！"籍饮啖不辍，神色自若。

注释

[1]重丧：重大的丧事，指父母之死。 [2]毁：指因哀伤过度而损害身体。顿：指劳累。 [3]固丧礼也：按《礼记·曲礼上》"居丧之礼……有疾则饮酒食肉，疾止复初"。可见饮酒食肉并不违反丧礼。

译文

阮籍在为母亲服丧期间，在晋文王的宴席上喝酒吃肉。司隶校尉何曾也在座，对晋文王说："您正在用孝道治理天下，可是阮籍身居重丧却公然在您的宴席上喝酒吃肉，应该把他流放到海外，以端正风俗教化。"文王说："嗣宗哀伤劳累到这个样子，您不能和我一道为他担忧，还说什么呢！再说因有病而喝酒吃肉，这本来就合乎丧礼啊！"阮籍吃喝不停，神色自若。

文史链接

“忠”、“孝”是中国古代统治思想的核心内容。阮籍生活的年代，正是“司马昭之心，路人皆知”时。司马氏集团处心积虑，加深了篡魏的步伐，而魏也是篡汉后建立的王朝，如此大逆不道，岂敢言“忠”？于是司马昭只能标榜“以孝治天下”。而阮籍当重丧之时，喝酒啖肉！另有记载说，他听到母亲去世的消息，“与人围棋如故”，对手不肯再下，阮籍却执意要下完。慎终追远，是孝的重要内容，而阮籍全然不顾。这种种表现，对司马氏集团的政治标榜来说，岂不大煞风景？所以司马氏集团的干将何曾就向司马昭建议流放阮籍，“以正风教”。那么阮籍当母丧，真是像他所表现的那样无动于衷吗？还是当时的另一部史书《魏氏春秋》说得较为恰当：“（阮）籍性至孝，居丧虽不率常礼，而毁几灭性。”母亲去世，阮籍为之“吐血”，“废顿良久”，可以看出他的无比悲痛，然而他对“礼”的繁文缛节不屑一顾。这种悲痛的内心与放诞的表现的强烈反差，正是阮籍处在当时社会现实中，内心矛盾、苦闷的反映。

诸阮饮酒 （任诞）

诸阮皆能饮酒，仲容至宗人间共集[1]，不复用常杯斟酌[2]，以大瓮盛酒，围坐相向大酌。时有群猪来饮，直接去上，便共饮之。

注释

[1] 仲容：阮咸，西晋陈留魏氏人，阮籍三侄，与阮籍并称“大

小阮”，叔侄二人与嵇康、山涛等人并称“竹林七贤”。宗人：同一家族的人。 [2] 斟酌：斟酒。

译文

阮氏一族的人都能喝酒，阮仲容来到族人中聚会，就不再用普通的杯子倒酒喝，而是用大酒瓮装酒，大家坐成个圆圈，面对面大吃大喝。当时有一群猪也来喝酒，他们径直把浮面一层酒舀掉，就又一道喝起来。

文史链接

一群名家子弟围着大瓮跟猪一起饮酒，这场面可算是刺激。在醉迷的世界里，不再有恭谨的礼仪，甚至不用穿衣服，人“自然”到与禽兽一般，这是解放，也是堕落。

魏晋时期，两汉时代以儒家经学为中心形成的名教体系面临崩溃之势，谋图篡夺的司马氏集团把倡导名教作为权力斗争的手段，其结果只能是使“名教”显得更为滑稽和堕落，因此，自东汉末以来，一个重要的思想变化就是士人个体意识的觉醒，他们要求对个人自由、尊严与生活欲望给以必要的尊重，他们认为自然的性情才是真正有价值和值得满足的。“越名教而任自然”，也就是从“有”返回到“无”，返回世界被命名之前的状态。“名”的世界崩溃了，走出去就是虚无，这可以是一个狂欢的时光。

卫玠渡江（文学）

卫玠始度江[1]，见王大将军[2]。因夜坐，大将军命谢幼舆[3]。玠见谢，甚悦之，都不复顾王[4]，

遂达旦微言[5]。王永夕不得豫[6]。玠体素羸，恒为母所禁，尔夕忽极[7]，于此病笃[8]，遂不起。

注释

[1]度：通“渡”。 [2]王大将军：王敦，王导之弟，时任大将军。 [3]谢幼舆:名士谢鲲，字幼舆。 [4]都:副词，表强调语气。顾：看。 [5]达旦：直到第二天早晨。微言：精深微妙的言辞。 [6]永夕:通宵。豫:参与。 [7]尔夕:当晚。[8]笃：(病)重。

译文

卫玠刚渡江，去拜见大将军王敦。于是王敦留他夜谈，请谢鲲作陪。卫玠见到谢鲲，非常欣赏他，竟然不再看王敦一眼，与谢鲲清谈到第二天早晨。王敦整个晚上参与不进他们的谈话。卫玠一向体弱多病，总是被母亲禁止与人清谈，当天晚上（与谢鲲的清谈）导致了极度疲劳，从此病重，于是一病不起。

文史链接

清谈是魏晋文化的主要标志之一，既反映了这一时代学术思想的巨大变迁,又体现着士大夫阶层的生活趣味。玄学与清谈不同，玄学是一种学术，目的在于解决理论上的问题，清谈却未必，它也许更适合被视为一种生活方式。魏晋名士之风盛行，清谈也成为士族社交生活中的重要内容，在一场清谈中有出色的表现，是令人羡慕的事,会被士林传为美谈。因而,士人们对清谈乐此不疲,谈到废寝忘食的也大有人在,然尚有甚者,则是因为清谈而丧命的。

卫玠渡江本是投奔王敦去的，在主人处见到名士谢鲲，谈逢对手，竟然置主人于不顾，“达旦微言”，这是很见性情的。他素来体弱，通宵的清谈导致疲劳，竟一病不起，实为可哀。《文学》篇另一则说到谢安与支道林清谈至于“相苦”，其尚在年幼且生病初愈的侄儿谢朗专心旁听，谢朗的母亲王夫人心头着急，在派人传话而谢安仍想留住谢朗的情况下，不顾礼仪，闯入男人的谈场，把自己的儿子抱了出来。清谈虽只是一种高级智力游戏，却非常消耗精力，王夫人显然知道卫玠的故事，所以定要虎口夺子。

嵇中散临刑（雅量）

嵇中散临刑东市[1]，神气不变，索琴弹之，奏《广陵散》。曲终，曰：“袁孝尼尝请学此散[2]，吾靳固不与[3]。《广陵散》于今绝矣！”太学生三千上书，请以为师，不许。文王亦寻悔焉[4]。

注释

[1] 嵇中散：即嵇康。　[2] 袁孝尼：袁准，字孝尼，为人正直、淡泊，入晋后，官至给事中。　[3] 靳（jìn）固：吝惜。　[4] 文王：指晋文王司马昭。寻：不久。

译文

中散大夫嵇康在东市将要被处死，他神色不变，向人要来琴，弹奏了一曲《广陵散》。弹奏完毕，（嵇康）说：“袁准曾经请求跟我学习这首曲子，我十分吝啬，不肯传授给他。从此以后，《广陵散》

就成了绝响啊！”(当时)有三千太学生上书，请求以嵇康为老师(想用这种方法来救嵇康)，(朝廷)不允许。(嵇康被杀后)文王司马昭不久也感到后悔了。

文史链接

嵇康为“竹林七贤”之一，才华超群，在哲学、文学以及音乐等方面都很有成就。他喜好老庄之学，“常修养性服食（服药）之事，弹琴咏诗，自足于怀”(《晋书·嵇康传》)。这似乎与当时其他名士没有什么不同。然而，他又有别于其他名士。虽然王戎说“与嵇康居二十年，未尝见其喜愠之色”，但他性格刚直，对一些追名逐利、与他情趣不同的人傲然蔑视，如他与山涛（巨源）的绝交。所以“越名教而任自然”虽是一时风尚，有的放诞不拘，有的隐逸山林……但嵇康表现得却尤为执着认真。司马氏集团是以行名教自居的，坚决不与司马氏合作，彻底地“非汤、武而薄周、孔”的嵇康自然难以为司马昭所容忍，为了惩戒其他名士，司马昭便选择拿嵇康开刀。这则故事讲的就是嵇康临刑前的情景。面对屠刀，嵇康操琴弹曲，泰然自若，只是因为能奏《广陵散》者后继无人而感到一丝遗憾，表现得十分超逸洒脱，为自己的一生画上了一个令人钦羡敬重的句号。

东床坦腹（雅量）

郗太傅在京口[1]，遣门生与王丞相书，求女婿。丞相语郗信：“君往东厢，任意选之。”门生归，白郗曰：“王家诸郎亦皆可嘉，闻来觅婿，咸自矜持[2]，唯有一郎在东床上坦腹卧，如不闻。”郗公云：“正此好！”访之，乃是逸少[3]，因嫁女与焉。

注释

[1] 郗太傅：即郗鉴，东晋大臣。 [2] 矜持：竭力保持庄重。[3] 逸少：王羲之字。

译文

郗太傅（郗鉴）在京口时，派门生给王丞相送信，想在他们家找一个女婿。丞相对送信门生说：“你去东厢房随便选吧。”门生回来后，禀告郗鉴：“王家的年轻人都很不错，听说来选女婿，都显得很拘谨，只有一个小伙子在东床上袒腹而卧，好像不知道这回事一样。”郗公说：“就这个好。”打听此人，原来是逸少（王羲之），随后就把女儿嫁给了他。

文史链接

人来选婿，王家诸郎为了中选，连忙打扮齐整，个个神情庄重，紧张得不免装模作样。只有王羲之丝毫不以为意，挺着裸露的肚皮躺在东床之上。而郗鉴偏偏就欣赏他的自在洒脱。故事生动地刻画了王羲之任诞不羁的形象，也反映了当时名士的风尚。当时人们认为任情而为、放浪形骸才是高雅脱俗，甚至是智慧的标志，因而这也就成为名士风度的表现之一。

刘伶病酒（任诞）

刘伶病酒[1]，渴甚，从妇求酒。妇捐酒毁器[2]，涕泣谏曰："君饮太甚，非摄生之道[3]，必宜断之！"伶曰："甚善。我不能自禁，唯当祝鬼神自誓断之耳[4]。便可具酒肉。"妇曰："敬闻命。"供酒肉于神前，请伶祝誓。伶跪而祝曰："天生刘伶，以酒为名[5]，一饮一斛[6]，五斗解酲[7]。妇人之言，慎不可听！"便引酒进肉，隗然已醉矣[8]。

注释

[1] 刘伶：西晋沛国（今安徽宿州西北）人，字伯伦。魏晋"竹林七贤"之一，性嗜酒。曾为建威参军。晋武帝泰始初，对朝廷策问，强调无为而治，以无能罢免，《晋书》有传，著有《酒德颂》。《酒德颂》宣扬老庄思想和纵酒放诞之情趣，对传统"礼法"表示蔑视。[2] 捐：倒。 [3] 摄生：养生。 [4] 祝：祷告。 [5] 名：通"命"。 [6] 斛（hú）：量器名，一斛为十斗，南宋末改为五斗。[7] 酲（chéng）：酒醒后神志不清犹如患病的感觉。 [8] 隗然：醉倒的样子。隗，通"颓"。

译文

刘伶十分喜欢喝酒，口渴得很，于是向妻子要酒。（他）妻子把酒倒掉，摔碎了装酒的瓶子，哭着规劝刘伶说："您喝酒太多，不是养生的方法，一定要戒掉啊！"刘伶说道："那好吧，我自己戒不了，只有在神面前祷告发誓才可以把酒戒掉，请你准备酒肉吧！”夫人说：“就遵从你的意思办。”（于是，）她把酒肉放在神案上，请刘伶来祷告。刘伶跪在神案前，（大声）说道：“老天生了我刘伶，把酒当作自己的命根子，一次要喝一斛，喝五斗才能解除酒醒后神志不清犹如患病的感觉。妇道人家的话，可千万不能听！”说罢，拿起酒肉，大吃大喝起来，不一会儿便醉醺醺的了。

文史链接

“痛饮酒”是魏晋名士的一大雅行，刘伶即是当时名士，他嗜酒如命的情状在这则故事中表现得活灵活现：以酒醒酒，以酒消解醉后的干渴。妻子含泪劝解，他一本正经地要妻子准备酒肉，说是只有在鬼神面前祷告起誓才能戒掉酒，妻子信以为真，而他见了酒肉后，却振振有词，吃喝起来，很快又醉倒了。读后令人捧腹。刘伶在政治上宣扬无为而治，生活放诞，著有《酒德颂》，对礼法表示蔑视，宣扬老庄思想和纵酒的生活，表现了他完全不加检束的狂态。《晋书·刘伶传》记载他常常乘鹿车，携酒，叫人拿着锄头跟着他，说：“死便埋我。”后来人们多以刘伶比喻消极颓废的人。

简文入华林园（言语）

简文入华林园[1]，顾谓左右曰：“会心处不必在远，翳然林水[2]，便自有濠、濮间想也[3]，觉鸟兽禽鱼自来亲人。”

注释

[1] 简文：东晋简文帝司马昱，晋元帝司马睿少子，为桓温、郗超所拥立。华林园：在建康台城，本是吴国的皇宫花园，东晋时又仿照洛阳的华林园修整过。　[2] 翳然：形容荫蔽。[3] 濠：濠水。濮：濮水。

译文

简文帝进华林园游玩，回头对随从说："令人心领神会的地方不一定在很远，林木蔽空，山水掩映，就自然会产生庄子在濠水、濮水边那样悠然自得的想法，觉得鸟兽禽鱼自己会来亲近人。"

文史链接

东晋简文帝司马昱，字道万，在位两年。魏晋名士以隐逸为高，纵情于山水之间，身为皇帝的简文帝，也颇有名士风范，《晋书·简文帝纪》说他"情虚寡欲，尤善玄言"。你看，他走进皇家园囿华林园，竟然也触发了欲摆脱"俗务"的"濠、濮间想"，濠、濮，均水名，濠在安徽凤阳境内，濮在河南境内。《庄子·秋水》云：惠子与庄子游于濠梁之上，羡鱼之乐。庄子在濮水钓鱼，楚王派二大夫去请庄子主持国政，庄子不肯，他不愿做官受束缚，宁可自由自在地生活。连皇帝都如此，东晋的朝政风气可想而知。但简文帝在这里提出了一个美学思想，即到处可以领会林泉佳致，不一定要到远处寻求。

嵇康风姿（容止）

嵇康身长七尺八寸[1]，风姿特秀。见者叹曰：'萧

萧肃肃[2]，爽朗清举[3]。’或云：‘肃肃如松下风[4]，高而徐引[5]。’山公曰[6]：‘嵇叔夜之为人也，岩岩若孤松之独立[7]；其醉也，傀俄若玉山之将崩[8]。

注释

[1]七尺八寸：古代的尺寸，长度没有现代那么长，不过七尺八寸也表明身材高大。 [2]萧萧肃肃：萧萧形容举止萧洒脱俗，肃肃形容清静。 [3]举:挺拔。 [4]肃肃:象声词,形容风声。[5]徐引:舒缓悠长。 [6]山公:即山涛,与嵇康同为“竹林七贤”。[7]岩岩:形容高峻挺拔。 [8]傀俄:同“巍峨”,形容高大雄伟。

译文

嵇康身高七尺八寸，风度姿态秀美出众。见到他的人都赞叹说：“他举止潇洒安详，气质豪爽清逸。”有人说：“他像松树间沙沙作响的风声，高远而舒缓悠长。”山涛评论他说:“嵇叔夜的为人，像挺拔的孤松傲然独立；他的醉态，像高大的玉山快要倾倒。”

文史链接

几乎所有关于嵇康的史料，都要提到他的外貌和风度。他的容貌和风度，堪为当世之标。七尺八寸，略相当于今天的一米八八，非常高大伟岸，“风姿特秀”四字，更是让人想见其人。所以他常被人比作高大挺拔的松树。此则也提到山涛对嵇康风度的赞美：嵇康这个人啊，看上去高大伟岸，就像一棵挺拔的青松一样傲然独立；就连他醉倒的时候，也是风光无限，好比一座巍峨的玉山将要崩塌一样！“玉山倾倒”的典故便由此而来。

不过，魏晋时期很多外貌出众的名士，往往喜欢打扮修饰，而嵇康刚好相反。《嵇康别传》说他："土木形骸，不加饰丽，而龙章凤姿，天质自然。正尔在群行之中，便自知非常之器。"由此可以看出他和当时另外一些美男注重仪表有着本质不同，他视形骸为土木，不加修饰，却自有一种龙章凤姿，在众人之中显得出类拔萃，卓然不群。

思考讨论

说说《世说新语》作为志人小说，在塑造人物上与明清小说的异同。

后 记

有一次，偶然看到某市小学一年级的语文课本中有贺知章的《回乡偶书》一诗："少小离家老大回，乡音无改鬓毛衰。儿童相见不相识，笑问客从何处来。""衰"字加了注音 shuāi。

衰，在此处应该读 cuī，在古义中有"等级次第的差别或依次递减"的意思，如《左传·桓公二年》："故天子建国，诸侯立家，卿置侧室，大夫有贰宗，士有隶子弟，庶人工商各有分亲，皆有等衰。"引申为减少、稀疏。结合贺知章的《回乡偶书》，这里"衰"的意思当指鬓毛减少、疏落，而不是衰老的意思。再从整首绝句的韵脚来看，"衰"字与首句"少小离家老大回"中的"回"和末句"笑问客从何处来"中的"来"，这三字在"诗韵"即"平水韵"中同属灰韵。

这些属于古代文化常识性的内容，过去龆龀蒙童均能脱口成韵，如今在专业教育出版社的小学语文教材中出现这样的差错，管窥一斑，不由得让人担忧。

读错一个字音尚是小事，倘若几代人不读"四书"、"五经"、唐诗、宋词……那中华民族真的就没有了灵魂。民族没有了精神内核，没有了灵魂，如何奢谈中华民族的伟大复兴?

我们承认现代教育将中国教育的视野引向更为广阔的国际空间，带来了许多新理念，给中国教育带来了活力。但是，如何在引入国际现代教育理念和现代教育方式的同时，坚守中国具有传承价值的优秀传统文化？如何在全面实施素质教育的同时，弘扬

中国文化特色以保持中国文化特有的气质？这是当前中国教育值得深入研究的问题之一。

梁启超先生曾言："吾不患外国学术思想之不输入，吾惟患本国学术之不发明。"然而，本国学术思想之发明非一代人可以成就，须"由其民族自身传递数世、数十世血液浇灌、精肉所培壅，而始得开此民族文化之花，结此民族文化之果"。要国民热爱中国的传统文化，必须本国先民的成就有其可爱之处，而且要发扬国民精神，也当从固有的精神中有所抉发。

秋霞圃书院自2010年开始筹划编撰一套适合大众普及尤其是中小学生使用的"国学基本教材"，自小学至高中每学期能有一册在手，通过以长期渐进、系统地熏陶、滋养，使中小学生在潜移默化中亲近中国的历史与文化，并使中华传统文化在当下的社会生活中"活化"。当然这种"活化"不是简单的复古，而是在当代的语境中重新梳理中华文明的脉络，从中汲取适应时代需要、社会需要，乃至适应工业文明与后工业文明需要的养料，提炼出中华传统文化的核心价值，以此来滋养一代又一代学子，为中华民族的伟大复兴奠定基础。当然，这些愿景断非一己之力能及，而是需要几代人的不懈努力，我们所起的作用仅仅是抛砖而已。国内儒学研究领军学者之一、武汉大学国学院院长郭齐勇教授听闻我们有此愿望后鼎力支持，欣然担任本套教材的总顾问，协调资源，并为之作序；武汉大学国学院院长助理孙劲松先生、向珂博士在筹组编者队伍时提供了真诚无私的帮助。此后又蒙秋霞圃书院院长、历史学家沈渭滨，语言学家李佐丰，古典文献学者骆玉明、汪涌豪、傅杰、徐志啸等教授在课篇布局上的悉心指点，形成了本套"国学基本教材"的框架。确定框架之后，我们邀请了武汉大学、复旦大学、华东师范大学、南开大学、中国传媒大学、中山大学、内蒙古师范大学、陕西师范大学、南通大学等高校人文学科中青年学人和江浙沪地区几位优秀的中小学语文教师参与编写。

全书成稿后，沈渭滨、王家范、骆玉明、傅杰、汪涌豪、杨国强、张觉、张新科、徐志啸、鲍鹏山等教授审读了书稿，并提出了宝贵的修改意见；86岁高龄的书法名家章汝奭先生为“国学基本教材”题写书名；《儒藏》总编撰、德高望重的北京大学教授汤一介先生为我们赠书“圣贤之道”；丰子恺先生后人为我们提供了精美而颇有意蕴的24幅漫画用作丛书封面；朱青生教授为我们提供了汉画文献用于插图；画家李永源先生逾古稀之年，为这套丛书手绘了上百幅插画；浙江古籍出版社社长杨林海先生是我故交乡党，听闻我有意筹划一套面向中小学生的“国学基本教材”丛书之后，青睐有加，多方努力协调资源，亲自落实该套教材出版的相关事宜……所有殊胜因缘，都在襄助秋霞圃书院矢志传播中华传统文化的大愿，唯有在此深揖致谢。

由于主持者与编者的学识有限，尽管悉心编校，但不足之处难免，敬请方家、读者指正，以便来年修订时，相应校正。

意见和建议可致电：021-66366439，13816808263。通信地址：上海市嘉定区南大街嘉定孔庙秋霞圃书院，邮政编码：201800，电子邮件 :qiuxiapu@163.com。

李耐儒

癸巳春于嘉定孔庙

图书在版编目（CIP）数据

汉魏六朝文选 / 邱玉婷，郭晓康，倪淑慧编注．— 杭州：浙江古籍出版社，2013.11

国学基本教材

ISBN 978-7-5540-0154-7

Ⅰ．①汉… Ⅱ．①邱… ②郭… ③倪… Ⅲ．①中国文学－古典文学－作品综合集－汉代 ②中国文学－古典文学－作品综合集－魏晋南北朝时代 Ⅳ．① I213.41 ② I213.51

中国版本图书馆 CIP 数据核字（2013）第 218443 号

汉魏六朝文选

邱玉婷　郭晓康　倪淑慧　编注

出版发行　浙江古籍出版社

（杭州体育场路 347 号　电话：0571-85176986）

网　　址　www.zjguji.com

责任编辑　陈临士　伍姬颖

特约编辑　张　旭　卜天寿

责任校对　余　宏

美术编辑　刘　欣

责任印务　贾　敏

照　　排　杭州立飞图文制作有限公司

印　　刷　富阳美术印刷有限公司

开　　本　880 × 1230　1/32

印　　张　6.375

字　　数　160 千字

版　　次　2013 年 11 月第 1 版

印　　次　2013 年 11 月第 1 次印刷

书　　号　ISBN 978-7-5540-0154-7

定　　价　12.00 元